ADMINISTRE SUAS EMOÇÕES

Não Deixe que Elas Controlem Você!

JOYCE MEYER

ADMINISTRE SUAS EMOÇÕES

Não Deixe que Elas Controlem Você!

Belo Horizonte

Diretor
Lester Bello

Autora
Joyce Meyer

Título Original
Managing Your Emotions

Tradução
Maria Lucia Godde / Idiomas & Cia

Revisão
Idiomas & Cia / Ana Lacerda / Fernanda Silveira

Diagramação
Julio Fado
Ronald Machado (Direção de arte)

Design capa (adaptação)
Fernando Rezende
Ronald Machado (Direção de arte)

Impressão e Acabamento
Premiumgraf Serviços Gráficos

BELLO
PUBLICAÇÕES

Rua Vera Lúcia Pereira, 122
Bairro Goiânia - CEP 31.950-060
Belo Horizonte/MG - Brasil
contato@bellopublicacoes.com.br
www.bellopublicacoes.com.br

Publicado pela
Bello Comércio e Publicações Ltda-ME
com a devida autorização de
Hachette Book Group e todos
os direitos reservados.

Primeira Edição — Julho de 2011
4ª Reimpressão — Junho de 2021

Exceto em caso de indicação em contrário, todas as citações bíblicas foram extraídas da Bíblia Sagrada Nova Versão Internacional (NVI), 2000, Editora Vida. As seguintes versões foram traduzidas livremente do idioma inglês em função da inexistência de tradução no idioma português: AMP e KJV. Todos os itálicos e negritos nos versículos são da autora e não constam no original.

CIP-BRASIL. CATALOGAÇÃO NA FONTE

Meyer, Joyce
M612 Administre suas emoções: não deixe que elas controlem você / Joyce Meyer; tradução de Maria Lúcia Godde / Idiomas e Cia. - Belo Horizonte: Bello Publicações, 2017.
228p.
Título original: Managing your emotions: instead of your emotions managing you.

ISBN: 978-85-61721-73-2

1. Auto-ajuda. 2. Emoções - Controle. I. Título.

CDD: 158.1
CDU: 159.9

Sumário

Introdução

Muitos dos pensamentos contidos neste livro foram apresentados originalmente em diversas séries de seminários que ministrei sobre as emoções e o princípio da saúde e da cura emocional. Nessas reuniões, deixei claro aos meus ouvintes que o propósito do estudo não era ensinar-lhes a se livrarem das emoções, mas saber como administrá-las.

Como disse a eles, ninguém jamais chegará ao ponto de não ter emoções. Ninguém jamais chegará ao ponto na vida de não ter uma grande variedade de sentimentos.

Por exemplo, independentemente do quanto você e eu possamos tentar, sempre teremos de lidar com a emoção da raiva, que faz com que muitas pessoas sintam muita culpa e condenação. A razão pela qual elas passam a sentir culpa e condenação é porque têm a falsa ideia de que, na qualidade de cristãos, nunca ficaremos irados.

Mas a Bíblia não nos ensina que nunca devemos sentir raiva. Em vez disso, ela ensina que quando nos irarmos não devemos pecar, mas administrar ou controlar nossa ira da maneira adequada: "Quando vocês ficarem irados, não pequem. Apaziguem a sua ira antes que o sol se ponha" (Efésios 4:26).

Houve um tempo em que Deus me deu uma verdadeira revelação sobre esse versículo bíblico. Certo dia, eu havia ficado irada com meu marido um pouco antes de sair de casa para pregar a Palavra. A culpa e a condenação vieram sobre mim perguntando: "Como você pode sair para pregar para os outros depois de ficar irada assim?".

Naturalmente, eu ainda estava irada, então essa pergunta me incomodou. Quando comecei a meditar nela o Senhor me revelou esse versículo em Efésios que diz para nos irarmos e não pecarmos.

Deus fez com que eu entendesse que a raiva é apenas uma emoção. Como todas as emoções, ela nos foi dada pelo próprio Deus por uma razão. Se não tivéssemos a capacidade de nos irar, nunca saberíamos quando alguém estivesse nos tratando mal. É para isso que a raiva serve. Assim como a dor, ela existe para nos advertir de que alguma coisa está errada.

Como acontece com todas as emoções, o problema é que Satanás tenta usar e abusar da nossa ira com o intuito de nos levar a pecar.

Muitas vezes as pessoas me procuram para aconselhamento, dizendo: "Tenho uma raiva profunda dentro de mim". Essa raiva geralmente é consequência de uma ferida causada por mágoas da infância não curadas. Nesse caso, a resposta não é tanto se livrar da raiva, mas chegar à raiz do que está fazendo com que ela permaneça e gere problemas depois de todos esses anos.

Isso faz parte do nosso esforço para nos mantermos equilibrados. Não é certo andar por aí sentindo raiva o tempo todo, assim como não é certo andar por aí sentindo dor o tempo todo. Mas precisamos nos lembrar de que somos seres humanos e que fomos equipados com certos sentimentos e emoções, como a raiva, e que eles nos foram dados por Deus por uma razão. Nossa função não é tentarmos nos livrar dessas emoções, mas aprendermos a administrá-las.

Outro exemplo de emoções são os sentimentos sexuais. Imagine por um instante que você está folheando uma revista ou um catálogo e vê a fotografia de uma pessoa atraente. De repente, você sente uma emoção sexual. Isso significa que você é um pervertido e que existe algo tremendamente errado com você? Significa que você não é realmente salvo, que você não ama a Deus ou ao seu cônjuge verdadeiramente?

Não. Significa simplesmente que você é humano e está sujeito aos mesmos sentimentos e reações emocionais que os outros seres humanos sentem. O mais importante é a maneira como você lida com essas emoções.

Deus nos equipa com todo tipo de sentimentos, inclusive sentimentos sexuais. Como cristãos, não devemos nos livrar desses sentimentos, nem precisamos nos sentir culpados por senti-los; em vez disso, devemos aprender a expressá-los da maneira adequada, da forma correta e com a pessoa certa (aquela que amamos). Também devemos aprender, com a ajuda de Deus, a manter esses sentimentos sob controle até nos casarmos.

Romanos 6:2 nos diz que se somos cristãos, nós morremos para o pecado. A Palavra não diz que o pecado está morto! O pecado ainda se apresenta a nós, inicialmente na forma de tentação, e depois se torna um problema declarado se cedemos a ela. Recomendo a leitura de todo o sexto capítulo de Romanos. Se fizer isso, você verá que a nossa instrução é resistirmos ao pecado no poder do Espírito Santo. Não nos é dito que nunca vamos *sentir,* mas nos é dito para não continuarmos a oferecer o nosso corpo como instrumentos do pecado.

É importante lembrar que as emoções não vão desaparecer. Elas estarão sempre presentes. Não devemos negar sua existência ou nos sentir culpados por causa delas, em vez disso, devemos canalizá-las na direção certa. Devemos negar à carne o direito de nos governar, mas não devemos negar que ela existe.

Como veremos mais adiante, a Bíblia nos ensina a sermos equilibrados. Em geral, nosso problema é que tendemos a ir de um extremo a outro. Ou tentamos não ter emoção nenhuma, ou damos margem a todas as emoções que sentimos, quer seja certo fazer isso ou não. Parece que a maioria das pessoas tem emoção de mais ou de menos. O que realmente é necessário é o equilíbrio — a capacidade de demonstrar as emoções quando elas são positivas e úteis, e de controlar as emoções quando elas são negativas e destrutivas.

Quando estamos irados e frustrados com alguma coisa em nossa vida, geralmente descontamos a raiva em outra pessoa — geralmente nosso cônjuge, nossos filhos ou outra pessoa com quem temos um relacionamento íntimo. O problema não é a nossa ira e a nossa frustração, mas o nosso descontrole.

Outro exemplo é a paciência — ou a falta dela. Em minha personalidade natural, tenho a tendência de ser muito impaciente. Quero as coisas feitas e as quero feitas corretamente. E quero as coisas feitas imediatamente. Eu não quero ter de dizer algo duas vezes — e, certamente, muito menos três vezes!

Mas quanto mais leio sobre Jesus e Sua mansidão, humildade, bondade e paciência, mais desejo não ser controlada pela impaciência. Então, por muito tempo venho trabalhando com o Espírito Santo para equilibrar essa emoção de forma adequada em mim.

O principal é entender o que são as emoções e reconhecer que nós as temos porque Deus as deu a nós. Depois, precisamos começar a lidar com elas em vez de simplesmente descarregarmos e consequentemente nos sentirmos culpados e condenados por causa delas.

Servimos a um Deus que se agrada com qualquer esforço que nós, como crentes em Jesus Cristo, fazemos para nos movermos em Sua direção. Não é difícil agradar a Deus. Ele não espera que sejamos absolutamente perfeitos, apenas espera que continuemos avançando em direção a Ele e acreditando Nele, deixando que Ele trabalhe conosco para nos levar à conformidade com Sua vontade e com Seus caminhos.

A mensagem destas páginas é simples: não há nada de errado com as emoções, desde que elas sejam mantidas sob controle. E o Senhor me dirigiu a escrever este livro, a fim de ajudá-lo a aprender a *administrar suas emoções*.

Capítulo 1

Como Não Ser Guiado Pelos Seus Sentimentos

Existem várias definições para a palavra "emoção". De acordo com o Dicionário Webster, a raiz do termo vem do latim *ex-movere*, que significa afastar-se.[1]

Penso que essa definição é muito interessante porque é exatamente isso que as emoções carnais e não crucificadas tentam fazer: levar-nos a segui-las, nos afastando da vontade de Deus.

Na verdade, este é o plano de Satanás para nossa vida — fazer com que vivamos com base nos nossos sentimentos carnais de modo que nunca andemos no Espírito.

O dicionário também diz que as emoções são "uma reação subjetiva complexa, geralmente forte (...) envolvendo mudanças fisiológicas como uma preparação para a ação".[2] Isso é verdade. Por causa da sua complexidade, as emoções não são fáceis de explicar, o que às vezes torna difícil lidar com elas.

Por exemplo, há vezes em que o Espírito Santo está nos guiando para fazer alguma coisa, e as nossas emoções se envolvem na situação e ficamos totalmente empolgados em fazer o que nos é ordenado.

O apoio emocional nos ajuda a sentir que Deus realmente quer que façamos aquilo. Consideramos o apoio emocional como uma confirmação da vontade de Deus.

Outras vezes, o Senhor nos impulsiona a fazer determinada coisa, mas nossas emoções não querem ter nada a ver com o que Deus está nos revelando e nos pedindo para fazer. Elas não nos dão qualquer apoio.

Em momentos como esse, é mais difícil obedecer a Deus. Somos muito dependentes do apoio emocional. Portanto, se nos falta o entendimento sobre a natureza instável das emoções, Satanás pode usá-las — ou usar a falta delas — para nos manter fora da vontade de Deus. Acredito firmemente que nenhuma pessoa possa caminhar dentro da vontade de Deus e andar em vitória se seguir o conselho das suas emoções.

AS EMOÇÕES OU DEUS?

> O sábio também ouvirá e crescerá em conhecimento, e o entendido adquirirá habilidade para obter sábios conselhos [para poder dirigir o seu caminho retamente]...
>
> Provérbios 1:5, AMP

Pelo fato de que há vezes em que nos é permitido desfrutar as nossas emoções e o apoio que elas nos dão, e também há vezes em que as nossas emoções trabalham contra nós, geralmente é difícil ensinar as pessoas como saber quando estão ouvindo a voz de Deus e quando estão ouvindo suas emoções.

Só porque estamos tendo um sentimento "meloso" de que devemos dar alguma coisa a alguém, isso não significa necessariamente que seja a vontade de Deus. Eu amo dar coisas às pessoas. É realmente uma das maiores alegrias da minha vida, mas tive de aprender que dar alguma coisa a alguém nem sempre ajuda essa pessoa. Na verdade, é algo que pode ser nocivo por impedir o que Deus está tentando fazer em sua vida.

Se, por exemplo, a pessoa não estiver fazendo a sua parte para cuidar do que tem, Deus pode permitir que ela continue passando necessidades até que aprenda a cuidar do que possui. Mas a pessoa que age por emoção verá uma necessidade e simplesmente se sentirá movida a supri-la sem buscar sabedoria.

No primeiro capítulo de Provérbios, a Bíblia nos ensina que devemos agir considerando as coisas com sabedoria. Se não seguirmos esse conselho bíblico, poderemos impedir que uma pessoa cresça e aprenda a aceitar a responsabilidade pessoal.

O outro lado da situação também precisa ser levado em consideração. Pode haver alguém que não seja totalmente maduro no Senhor e tenha muito a aprender. Ele está passando necessidade, e sua necessidade pode ser resultado de não saber o que fazer. Deus pode ainda nos levar a ajudar alguém nessas condições, porque todos nós precisamos de encorajamento enquanto estamos crescendo no Senhor.

Todos nós erramos na vida por ignorar os caminhos de Deus. Mesmo quando começamos a aprender os Seus caminhos, ainda leva muito tempo para vermos todas as situações negativas em nossa vida se transformarem em positivas. Podemos beneficiar grandemente uns aos outros sendo sensíveis à direção do Espírito Santo para ajudarmos de diversas maneiras. Apenas se sentir movido emocionalmente não é ser guiado pelo Espírito Santo. *As emoções sempre devem ser submetidas à sabedoria!* Se a sabedoria estiver de acordo, então podemos seguir em frente com o nosso plano.

Eis aqui um exemplo: todos nós amamos nossos filhos e sabemos como é difícil vê-los privados das coisas que querem e de que necessitam. Quando temos a capacidade de dar a eles essas coisas, a maioria de nós quer livrá-los de qualquer situação difícil em que eles estejam. Isso pode ser muito bom na maioria das vezes. É bom ajudar nossos filhos e fazer com que eles saibam que podem contar conosco quando precisarem de nós. No entanto, preservá-los de todas as situações difíceis pode impedir que eles cresçam. A luta é parte do processo que todos nós precisamos passar a fim de amadurecer.

Quando pesquisava materiais para um seminário há algum tempo, li que o filhote de águia, enquanto ainda está no ovo, desenvolve um pequeno dente afiado na ponta do bico. Ele usa esse dente para golpear repetidamente a casca até que ela finalmente rache e se abra. Esse processo demora muito e exige muita tenacidade. Às vezes, pessoas bem intencionadas tentam ajudar quebrando a casca. Quando isso acontece, o filhote de águia morre.

Assim como o bebê águia, os jovens precisam da experiência do esforço para ajudá-los a se preparar para a vida. Devemos ajudar nossos filhos, mas não a ponto de impedir que eles amadureçam.

PESSOAS EMOCIONAIS

Uma pessoa emocional é alguém que é facilmente afetado ou agitado pelas emoções. É bom conhecer a nós mesmos e a nossa personalidade. Algumas pessoas são mais guiadas pelas emoções do que outras, e saber disso pode impedir muitos desgostos e dores na vida.

Ainda que não nos encaixemos na categoria de uma pessoa "emocional", cada um de nós tem emoções e corre o risco de ser guiado por elas. Podemos nos levantar um dia pela manhã nos sentindo deprimidos e continuarmos com esse sentimento ao longo do dia.

No dia seguinte, podemos acordar zangados — com vontade de criticar alguém — e é isso que acabamos fazendo. Outras vezes, podemos acordar sentindo pena de nós mesmos e sentaremos em um canto para chorar o dia inteiro.

Se permitirmos, os *sentimentos* vão provocar problemas que farão com que saiamos da vontade de Deus e façamos a vontade de Satanás, o enganador.

Desperdicei muitos anos da minha vida seguindo meus sentimentos. Se eu acordasse me sentindo deprimida, ficava deprimida o dia todo. Naquela época, eu não sabia que podia *resistir* a essas emoções. Agora entendo que posso colocar as "vestes de louvor" como a Bíblia ensina em Isaías 61:3. Posso cantar ou ouvir uma boa música cristã e, ao fazer isso, lutar contra o sentimento negativo que deseja me controlar o dia inteiro.

Precisamos aprender a estar cientes das nossas emoções e saber como administrá-las corretamente. Uma maneira de fazer isso é reconhecer os tipos diferentes de personalidade e saber como eles reagem de forma diferente a situações semelhantes.

QUATRO TIPOS BÁSICOS DE PERSONALIDADE

Assim como se costuma dizer que alguns tipos de personalidade são mais emocionais do que outros, acredita-se que as mulheres têm uma tendência mais forte para a emotividade do que os homens. De acordo com um ensinamento que data de muito tempo na história, existem quatro tipos básicos de personalidade, cada um com um nome que o identifica.

O primeiro tipo é chamado de *colérico*, que é a categoria onde eu me enquadro. Os coléricos nasceram para serem líderes. Sua personalidade forte quer estar no controle. Um dos pontos fortes daqueles que têm uma personalidade colérica é que eles costumam realizar muitas coisas. Um dos pontos fracos é que eles têm a tendência de serem mandões.

Os coléricos geralmente são fortemente voltados para seus objetivos e motivados por novas ideias e novos desafios. Quando o Senhor me dá um projeto, fico totalmente animada com ele e corro para meu marido, que tem uma personalidade completamente diferente da minha.

Dave faz parte do grupo chamado de *fleumático.* Os fleumáticos geralmente demonstram pouca ou nenhuma emoção. O que é interessante é que o colérico geralmente se casa com um fleumático.

Em nosso casamento, nossas diferenças de personalidade costumavam nos deixar loucos, até que vimos o plano de Deus nisso. Dave é forte em áreas onde eu sou fraca, e eu sou forte em áreas nas quais ele é fraco. Agora acredito que Deus une tipos opostos para complementarem um ao outro, mas Dave e eu levamos algum tempo para aprendermos a aceitar isso e atuar de forma compatível com as nossas diferenças.

Para ilustrar a situação, imagine a cena: eu ia até Dave completamente entusiasmada com alguma coisa, e a resposta dele era "vamos ver". Em momentos assim, eu só queria bater nele, até que aprendi a entendê-lo. Eu estava sendo emocional, e ele estava sendo lógico. Eu estava olhando para o lado da empolgação, e ele estava olhando para o lado da responsabilidade da questão. Eu costumava gritar com ele: "Será que você nunca consegue ficar animado com nada?".

Íamos a igrejas pentecostais animadas, e eu saía do culto dizendo: "Uau! Você sentiu a presença de Deus naquele lugar?".

Dave dizia: "Não, não senti nada". Ele sabia que Deus estava presente, mas não estava fundamentando a presença de Deus nos seus sentimentos. Por muito tempo, pensei que ele estivesse emocionalmente morto.

Ambos mudamos depois de Deus estar trabalhar em nós por tantos anos, e hoje estamos mais equilibrados. Não sou mais tão movida pela emoção, e ele demonstra mais entusiasmo quando estou verdadeiramente empolgada com alguma coisa.

Uma coisa boa para as pessoas que têm personalidade fleumática lembrarem é que elas precisam exercitar sua fé e fazer um esforço para demonstrar um pouco de emoção. Pode ser muito enfadonho viver com uma pessoa que é insossa com relação a tudo.

Se você é uma pessoa reservada, precisa fazer um esforço deliberado no sentido contrário por amor às pessoas com quem você se relaciona. Estamos agindo em amor quando nos sacrificamos e fazemos o que os outros precisam que façamos.

Por outro lado, se você é mais como eu, e tende a ficar agressivamente empolgado com as coisas novas com as quais está envolvido, talvez precise aprender a abrandar as emoções e se tornar uma pessoa mais equilibrada. Lembre-se de que é difícil para uma pessoa mais séria e sóbria se identificar com você, porque ela realmente não sente o que você sente. A resposta, naturalmente, é o equilíbrio, como discutiremos mais adiante.

O terceiro tipo de personalidade é conhecido como *sanguíneo*. Esse é o tipo mais emocional de todos. A personalidade sanguínea é efervescente e parece passar pela vida saltitando. É fácil dizer quando uma pessoa sanguínea entra na sala. A voz dela pode ser ouvida acima das de todos os outros: "Ah, estou tão empolgada por estar aqui!".

O sanguíneo tem a tendência de irritar o colérico — principalmente um colérico como eu! Sou o tipo de pessoa séria, voltada para um objetivo, que sempre tem um plano e está se movendo em direção a ele. Quando um sanguíneo entra saltitando, ele geralmente me perturba. Mas o sanguíneo talvez nem perceba. Por ser tão cheio de alegria e energia, ele geralmente não se dá conta de qualquer outra coisa a não ser se divertir.

Os sanguíneos costumam se casar com o quarto tipo, chamado *melancólico*. Como você pode imaginar, os melancólicos são aqueles que têm mais problemas de depressão. Eles são as pessoas profundas, pensadoras e organizadoras. Eles são daqueles tão organizados que arrumam suas estantes de condimentos em ordem alfabética. Amarram os cadarços e os colocam dentro dos sapatos antes de colocá-los cuidadosamente no armário. Eles acreditam que existe um lugar para tudo, e que tudo deve estar em seu lugar.

Os sanguíneos frequentemente não são muito disciplinados, e isso, naturalmente, é algo muito difícil para os tipos melancólicos. Os melancólicos são pessoas realmente arrumadas. Eles sempre têm um plano, mas geralmente acabam se casando com sanguíneos que não se importam nem um pouco se existe um plano ou não. Mesmo se eles tivessem um plano, os sanguíneos não se lembrariam dele por mais de cinco minutos. Eles são aqueles que deixam o carro em um estacionamento e não conseguem se lembrar de onde o deixaram!

Você acha que um sanguíneo se preocupa com isso? Não a mulher que conheci e que fez isso. Ela achou engraçado! Agora ela tem uma nova história para contar nas festas de que participa.

Como você pode ver, a maneira como você e eu reagimos às emoções depende até certo ponto de qual destes quatro tipos descreve melhor a nossa personalidade individual: colérico, fleumático, sanguíneo ou melancólico. A maioria de nós é uma mistura de dois ou mais tipos de personalidade.

Conhecer a si mesmo é muito útil. Existem alguns bons livros cristãos disponíveis sobre o assunto: *Temperamento Controlado pelo Espírito*, de Tim LaHaye e *Your Personality Tree* (A Sua Árvore da Personalidade), de Florence Littauer.

Lembre-se sempre de que podemos aprender a controlar nossos pontos fracos por intermédio do poder do Espírito Santo, e ao fazer isso nos tornarmos pessoas equilibradas que não podem ser controladas por Satanás.

O SENTIMENTALISMO

O termo "sentimentalismo" é usado para descrever "uma tendência de depender ou de dar importância excessiva à emoção". Em geral, ele é definido como "uma demonstração excessiva de emoção".

O "emotivo" é "alguém cuja conduta... é governada pela emoção em oposição à razão".[4]

Uma missão ou atribuição que sempre dou aos que frequentam meus seminários sobre esse assunto é que leiam o livro de Provérbios e descubram todos os versículos ali contidos que comparam a emoção com a sabedoria.

Ao fazer isso, eles geralmente aprendem que uma das diferenças entre sabedoria e emoção tem a ver com o momento adequado.

A sabedoria espera o momento certo para agir, ao passo que a emoção sempre exige ação imediata! O sentimentalismo é impulsivo. Ele exige ação imediata. Enquanto a sabedoria olha adiante calmamente para determinar como uma decisão poderá afetar o futuro, as emoções só se preocupam com o que está acontecendo no momento.

Quantas vezes você disse ou fez algo no calor da emoção e depois, mais tarde, se arrependeu profundamente por sua atitude impulsiva?

"Ah, se eu pelo menos tivesse ficado com a boca fechada!"

É impressionante o estrago que pode ser feito a um relacionamento pelo rompante emocional de alguém.

Certa vez, quando eu estava tentando aprender a controlar minha boca e a não responder mal a meu marido, fiquei tão emotiva que o Senhor teve de me dizer: "Joyce, já chega! Não diga mais nem uma palavra!". Saí da sala apressadamente, corri pelo corredor e me tranquei no banheiro. Eu estava tão irritada que enterrei meu rosto em uma toalha e gritei dentro dela! Às vezes as fortalezas da nossa carne se tornam tão arraigadas que é preciso uma atitude muito determinada para derrubá-las. É por isso que precisamos aprender a lutar contra nossas emoções indisciplinadas e submetê-las à vontade de Deus.

COMBATENDO AS EMOÇÕES

> Não anulo a graça de Deus; pois, se a justiça vem pela Lei, Cristo morreu inutilmente!
>
> Gálatas 2:21

A princípio não será fácil vencer as emoções. Nunca é. Quando você e eu começamos a romper algum hábito em nós, inicialmente temos uma luta em nossas mãos. Temos de lutar dentro de nós mesmos, clamando a Deus: "Senhor, ajuda-me, ajuda-me!". É tão maravilhoso saber que o Espírito Santo está sempre conosco para nos ajudar o tempo todo!

Se você sabe que se entregou a algum mau hábito, como, por exemplo, comer de forma emocional, quando se sentar à mesa você precisará dizer a si mesmo: "Espírito Santo, ajuda-me a não comer demais". Em um restaurante, onde todos em sua mesa estão pedindo sobremesa e você sente que está começando a vacilar, pode clamar dentro de você: "Espírito Santo, ajuda-me, ajuda-me!".

Descobri que se eu depender da minha carne apenas por meio da força de vontade absoluta ou da determinação, vou falhar sempre. Mas se estiver determinada a resistir à tentação clamando pelo poder do Espírito Santo, encontrarei a força de que necessito para ter sucesso.

Descobri que o Senhor não vai fazer tudo por nós nesta vida. Não podemos simplesmente encontrar alguém para impor as mãos sobre nós e orar para que sejamos libertos daquilo que nos escraviza. Há uma parte que precisamos fazer com a nossa mente e a nossa vontade. É necessária uma combinação de fé e ação.

O apóstolo Paulo disse que não anulava a graça de Deus (Gálatas 2:21). Ele queria dizer que não esperava que Deus fizesse tudo para ele sem que ele também fizesse a sua parte. Deus nos dá a capacidade de fazermos o que precisamos fazer, mas precisamos escolher a ação certa.

O escritor do livro de Provérbios nos diz: "O conselho da sabedoria é: Procure obter sabedoria; use tudo o que você possui para adquirir entendimento" (Provérbios 4:7). Em outras palavras, precisamos ser capazes de ver além das mentiras que Satanás diz à nossa mente e dos sentimentos que ele desperta dentro de nós. Precisamos manter nossos olhos na Palavra de Deus e fazer o que ela diz — não o que o inimigo nos faz ter vontade de fazer.

Se você quer ser uma pessoa comprometida com a Palavra de Deus, terá de aprender a ser guiado pelo Espírito, e não pelas emoções.

Sempre que uma emoção surge dentro de mim, eu a avalio para ver se está alinhada com a Palavra de Deus. Se não está, o Espírito Santo revela isso a mim, e eu resisto a ela.

É assim que lutamos contra nossas emoções — usando nossa vontade para tomar a decisão de seguir a Palavra de Deus e não os nossos sentimentos.

SEM EMOÇÃO

Alguém *sem emoção* é "incapaz de demonstrar emoção; alguém que não sente emoção, ou que sente pouca emoção".[5]

Muitas vezes, quando as pessoas foram magoadas profundamente no passado, elas desenvolvem um coração duro em seu interior e levantam muralhas altas do lado de fora para se protegerem. Elas podem ter os mesmos sentimentos que os outros, mas são incapazes de demonstrá-los. Às vezes, podem ter sido tão machucadas que acabam endurecidas e incapazes de sentir qualquer coisa. Em ambos os casos, há necessidade de cura.

EMOÇÕES ENDURECIDAS E DESENFREADAS

> Assim, eu lhes digo, e no Senhor insisto, que não vivam mais como os gentios, que vivem na inutilidade dos seus pensamentos. Eles estão obscurecidos no entendimento e separados da vida de Deus por causa da ignorância em que estão, devido ao endurecimento do seu coração. Tendo perdido toda a sensibilidade, eles se entregaram à depravação, cometendo com avidez toda espécie de impureza.
>
> EFÉSIOS 4:17-19

O Senhor chamou minha atenção para essa passagem sobre os incrédulos e me mostrou duas coisas a respeito dela. Em primeiro lugar, ela diz que os incrédulos estão tão endurecidos que se tornaram insensíveis. Eles vivem segundo os seus sentimentos, em sensualidade e carnalidade.

Enquanto eu meditava nessa afirmação, o Senhor me mostrou que essas pessoas não estão fazendo o que deveriam estar fazendo com seus sentimentos.

Deus nos dá sentimentos para um propósito e um uso específico na nossa caminhada com Ele. Essas pessoas foram endurecidas a tal ponto que não conseguem usar seus sentimentos para o fim correto. Satanás as levou para uma área onde estão vivendo uma vida desordenada e fazendo tudo o que têm vontade de fazer.

Qual é a filosofia do mundo hoje? "Se você se sente bem, faça!". Você e eu, porém, não devemos viver assim.

JESUS E AS EMOÇÕES

> Pois não temos um sumo sacerdote que não possa compadecer-se das nossas fraquezas, mas sim alguém que, como nós, passou por todo tipo de tentação, porém, sem pecado.
>
> HEBREUS 4:15

De acordo com esse versículo, Jesus sentiu cada emoção e sofreu cada sentimento que você e eu sentimos, mas sem pecar. Por que Ele não pecou? Porque não cedeu aos sentimentos errados. Ele conhecia a Palavra de Deus em cada área da vida porque passou anos estudando-a antes de começar Seu ministério.

A Bíblia diz que quando criança Jesus "crescia e se fortalecia no espírito, enchendo-se de sabedoria..." (Lucas 2:40), de modo que por volta dos seus doze anos, Ele achou que estava crescido o bastante para ir ao templo em Jerusalém e "tratar dos assuntos de Seu Pai" (Lucas 2:41-52). Mas Ele ainda teria anos de treinamento antes de ingressar em Seu ministério de tempo integral.

Você e eu nunca seremos capazes de dizer "não" aos nossos sentimentos se não tivermos dentro de nós um conhecimento firme da

Palavra de Deus. Jesus tinha os mesmos sentimentos que nós temos, mas Ele nunca pecou cedendo à pressão deles.

Quando alguém me magoa e me sinto irada ou angustiada, é um enorme consolo para mim poder erguer o meu rosto, as minhas mãos e a minha voz ao Senhor e dizer: "Jesus, fico tão feliz porque Tu compreendes o que estou sentindo neste instante e porque não me condenas por me sentir assim. Não quero dar vazão às minhas emoções. Ajuda-me, Senhor, a superá-las. Ajuda-me a perdoar aqueles que me fizeram mal e a não desprezá-los, evitá-los ou procurar retribuir-lhes pelo mal que me fizeram. Ajuda-me a não viver debaixo de condenação por pensar que eu não deveria estar me sentindo assim".

Não se trata de apenas pensar: *Eu não deveria estar me sentindo assim.* Trata-se de clamar a Deus e agir segundo o fruto do Espírito chamado domínio próprio (Gálatas 5:23).

Você e eu não temos de nos sentir condenados porque temos sentimentos negativos. Jesus nos compreende. A principal preocupação dele é que cheguemos ao ponto em que seremos como Ele: humildes, gentis, mansos e modestos. Ele quer que desenvolvamos a compaixão, a compreensão e a sensibilidade de coração.

Pelo fato de eu ter sido muito machucada na minha infância, desenvolvi um coração duro e construí altas muralhas ao meu redor para me proteger, assim como fizeram aquelas pessoas que mencionei. Eu me tornei dura e enrijecida por dentro. Mas aprendi — e ainda estou aprendendo — que qualquer tipo de personalidade, por mais ferida que tenha sido ou sofrido, pode ser apresentada e projetada de uma maneira mansa e suave.

Independentemente de qual sejam as nossas experiências passadas ou os nossos sentimentos presentes, devemos ser compassivos com os outros. Devemos nos alegrar com os que se alegram, mas também devemos chorar com os que choram (Romanos 12:15).

Uma das coisas que Jesus transmitia às pessoas e transmite a nós hoje, e que precisamos transmitir aos outros, não é a dureza, mas a compreensão.

Independentemente do que alguém faça ou tenha feito conosco, precisamos transmitir a ele a mensagem: "Entendo o que você está passando. Entendo como você se sente. Mas deixe-me também lhe dizer o que fala a Palavra de Deus.Você não tem de ficar como está". Pessoas feridas ferem pessoas, mas o amor pode curá-las e transformá-las.

É óbvio o que Satanás quer que façamos. Ele quer que desenvolvamos uma dureza e um enrijecimento dentro de nós para que não possamos sentir ou ser sensíveis às necessidades dos outros.

Deus quer que sejamos mais sensíveis aos sentimentos e às necessidades dos outros e menos sensíveis aos nossos sentimentos e às nossas necessidades. Ele quer que nos coloquemos em Suas mãos e que deixemos que Ele cuide de nós enquanto praticamos ser bons, compassivos e sensíveis com as outras pessoas.

Como crentes, não devemos ser guiados pelos nossos sentimentos, mas devemos ser movidos por eles para demonstrar compaixão e compreensão àqueles que necessitam. Esse é o propósito e o uso correto dos sentimentos e das emoções, a fim de que "... com a consolação que recebemos de Deus, possamos consolar os que estão passando por tribulações" (2 Coríntios 1:4).

SENTIMENTOS OU DECISÃO?

> Estando angustiado, ele orou ainda mais intensamente; e o seu suor era como gotas de sangue que caíam no chão.
>
> LUCAS 22:44

Lembre-se de que os sentimentos são parte da alma, sobre a qual geralmente se diz ser composta pela mente, pela vontade e pelas emoções.

Quando nascemos de novo, não nos é dito para pararmos de pensar. Apenas nos é dito para começarmos a pensar de uma maneira nova. Quando nascemos de novo, não nos é dito para pararmos de decidir, para pararmos de desejar, apenas nos é dito para rendermos a nossa vontade a Deus e decidirmos fazer o que Ele deseja, de acordo com a direção do Espírito Santo.

O mesmo acontece com as emoções. Quando nascemos de novo, não nos é dito para pararmos de *sentir*. Apenas nos é dito para aprendermos a expressar esses sentimentos da maneira correta. Jesus não sentiu vontade de ir para a cruz, mas Ele resistiu a agir de acordo com Seus sentimentos. Ele sujeitou Suas emoções ao Pai celestial.

No Jardim do Getsêmani, Jesus passou por uma agonia de alma enquanto se esforçava para resistir à tentação de fazer o que sentia vontade de fazer em lugar de fazer o que sabia que era a vontade de Deus para Ele.

TESTANDO AS EMOÇÕES

> Deus justo, que sondas as mentes e os corações, dá fim à maldade dos ímpios e ao justo dá segurança.
>
> Salmo 7:9

No Salmo 7:9 e em Apocalipse 2:23 (... Eu sou aquele que sonda mentes e corações...) lemos que Deus é um Deus que sonda as emoções. O que a palavra *sonda* significa neste contexto? Significa testar até ser purificado.[6]

Há alguns anos, quando eu estava orando, Deus me disse: "Joyce, vou testar suas emoções". Eu nunca havia ouvido nada assim. Eu não sabia nem mesmo que esses versículos estavam na Bíblia. Então, segui em frente.

Cerca de seis meses depois, de repente, minha vida emocional virou um caos. Eu chorava sem motivo algum. Tudo feria meus sentimentos.

Pensei: "O que está acontecendo comigo? Qual é o problema?". Então o Senhor me lembrou do que Ele havia me dito anteriormente, "Vou testar as suas emoções". Ele me levou ao Salmo 7:9 e a Apocalipse 2:23 e fez com que eu entendesse o que Ele estava fazendo para o meu próprio bem.

Independentemente de quem você é, haverá períodos em que você se sentirá mais emotivo que o normal. Você pode acordar certa manhã e sentir vontade de desmoronar e chorar sem motivo algum. Isso pode durar uma semana ou mais que isso. Você pode pensar: *O que está acontecendo comigo?*

Durante esses períodos, você precisa tomar cuidado porque seus sentimentos ficarão feridos com muita facilidade. A mínima coisa provocará suas emoções.

Houve momentos em minha vida em que eu ia para a cama orando, me sentindo calma como nunca, e acordava na manhã seguinte como se tivesse ficado acordada a noite inteira roendo as unhas! Eu me levantava com um humor tão desagradável que se alguém se aproximasse de mim ou cruzasse comigo, eu tinha vontade de bater nessa pessoa!

O que devemos fazer quando começamos a nos sentir assim? Em primeiro lugar, não devemos começar a sentir condenação. Número dois, não devemos sequer tentar entender o que está acontecendo. O que devemos fazer é simplesmente dizer: "Este é um daqueles momentos em que minhas emoções estão sendo testadas. Vou confiar em Deus e aprender a controlá-las".

Como você e eu vamos aprender a nos controlar emocionalmente se Deus não permitir que passemos por alguns momentos de provação?

Lembre, a Bíblia diz que Deus nunca permitirá que venha sobre nós mais do que podemos suportar (1 Coríntios 10:13). Se o Senhor não permitir que esses tempos de provação venham sobre nós, nunca aprenderemos a lidar com Satanás quando ele os trouxer sobre nós — e ele fará isso, mais cedo ou mais tarde.

AS EMOÇÕES E A FADIGA

> E entrou no deserto, caminhando um dia. Chegou a um pé de giesta, sentou-se debaixo dele e orou, pedindo a morte: "Já tive o bastante, Senhor. Tira a minha vida; não sou melhor do que os meus antepassados".
>
> 1 Reis 19:4

Sempre ouvi dizer que depois que uma pessoa passa por um momento em que suas emoções estão em alta, ela geralmente sairá desse período com as emoções em baixa.

Vemos isso na vida do profeta Elias, no livro de 1 Reis. Certo dia, ele estava no Monte Carmelo, fazendo os profetas de Baal de bobos, clamando por fogo do céu, no ápice de suas emoções. No dia seguinte, nós o vemos no deserto, sentado debaixo de um zimbro, pedindo a Deus que o deixe morrer porque ele está se sentindo deprimido.

Na minha própria vida, percebi que quando ministro em uma série de reuniões, gasto tudo que tenho espiritual, emocional e mentalmente, orando pelas pessoas e suprindo as necessidades delas. Fico muito entusiasmada quando vejo o que Deus está fazendo por meio dessas reuniões, das minhas transmissões pelo rádio e pela televisão, e em outros projetos com os quais estamos envolvidos.

Mas, depois, quando volto de alguma coisa tão empolgante para a vida diária normal, é praticamente demais para que eu possa suportar. Quem quer passar de expulsar demônios em um dia para as tarefas domésticas normais no dia seguinte?

Em geral, pensamos: *Ah, se eu pudesse ficar para sempre com as minhas emoções em alta assim!* Mas Deus sabe que não poderíamos suportar isso. Muitos altos e baixos emocionais nos esgotam emocional, mental e fisicamente.

Quando voltava para casa depois dessas viagens ministeriais, eu não conseguia entender o que estava errado comigo. Eu andava pela casa repreendendo Satanás, mas a única coisa errada era que eu estava cansada — física, mental e emocionalmente esgotada. Eu precisava descansar e me recuperar.

Quando você ficar assim, não faça como Elias e não censure a si mesmo. Não comece a pensar *que pessoa infeliz sou eu!* Não fique lamentando e gemendo, lembrando como você era feliz ontem e como se sente péssimo hoje. Não comece a reclamar com o Senhor dizendo o quanto você se sente inútil.

Você sabe o que faço quando fico assim? Digo: "Senhor, estou me sentindo para baixo agora, então preciso apenas descansar e me recompor novamente. Vou passar algum tempo contigo, Senhor, e deixar que Tu me fortaleças".

O TRANSTORNO BIPOLAR

O termo psicológico usado para descrever as pessoas que passam de um extremo emocional para outro é "transtorno bipolar".

Uma jovem em uma de nossas reuniões me disse certa vez que seu marido sofria de transtorno bipolar. Ela disse que durante três meses ele ficava com as emoções em alta e era realmente criativo.

Nos negócios, ele comprava e vendia, investia grandes somas de dinheiro e conquistava um tremendo sucesso. Quando suas emoções desciam, ele entrava em uma depressão profunda, que podia durar até seis meses!

Houve um tempo em que a medicina só mencionava o aspecto da baixa das emoções das pessoas vítimas de transtorno bipolar. Quando elas estavam com as emoções em alta, nada era feito por elas. De acordo com um artigo que li há pouco tempo, descobriu-se atualmente que é importante tentar fazer com que as emoções que estão em alta venham para baixo. Os especialistas estão aprendendo que a chave é o equilíbrio.

Sempre aplaudimos as pessoas cujas emoções estão em alta e criticamos aquelas cujas emoções estão em baixa. Atualmente, ambos os extremos estão errados.

A maioria de nós nunca terá problemas de transtorno bipolar, mas podemos aprender um princípio com a maneira como essas pessoas são tratadas, e podemos entender que não basta apenas resistir à depressão, mas que precisamos também resistir à tentação de ficarmos tão empolgados emocionalmente a ponto de ficarmos exaustos e nos tornarmos uma presa para o diabo.

Nenhum de nós pode viver no topo da montanha o tempo todo. Haverá dias em que estaremos em cima e outros dias em que nos sentiremos embaixo. As emoções são instáveis, e elas flutuam normalmente sem nenhuma razão aparente. O que precisamos aprender é como administrar os dois extremos.

Uma coisa importante para se ter uma saúde emocional estável é a honestidade — consigo mesmo e com os outros. Descobri que é melhor para mim e para minha família se eu for honesta com eles sobre o que está acontecendo comigo. Nesses momentos, quando eu sentia que estava escorregando em direção à raiva, à depressão ou para qualquer emoção negativa, eu dizia à minha família: "As minhas emoções estão confusas hoje, então, se eu ficar quieta, não prestem atenção em mim por algum tempo".

Precisamos nos lembrar de que o que escondemos ainda tem poder sobre nós, mas quando trazemos as coisas à luz, elas começam a perder o poder imediatamente. João 8:32 nos ensina que a verdade nos libertará. Tiago 5:16 nos encoraja a confessarmos os nossos erros uns aos outros para que possamos ser curados e restaurados a uma atmosfera espiritual de mente e coração.

Descobri que se eu tentasse proteger minha reputação espiritual fingindo que não havia nada de errado comigo, tudo que isso fazia era gerar confusão em toda a família. Eles poderiam começar a imaginar que eu estava zangada com eles por algum motivo. Então eles ficavam angustiados, tentando chegar a uma conclusão sobre o que poderiam ter feito para me irritar. Todos nós ficávamos muito melhor se eu simplesmente dissesse a verdade.

Tentei aprender a ficar quieta durante esses períodos.

Quando estamos emocionalmente irritados, temos a tendência de dizer coisas que lamentaremos depois. Temos uma responsabilidade para com os membros da nossa família e com outros com quem passamos muito tempo: evitar que eles fiquem imaginando o que está acontecendo conosco.

Eis um bom exemplo: uma das colaboradoras da nossa equipe de trabalho que geralmente é muito falante e entusiasmada, de repente ficou muito calada e quase introvertida. Vários dos outros membros da equipe notaram isso e se aproximaram de mim e de Dave perguntando: "O que está acontecendo com ela?" Eles acharam que ela estivesse zangada com alguma coisa ou com alguém da equipe itinerante.

Quando falei com ela, descobri que ela estava simplesmente com alguns problemas de saúde. Havia feito alguns exames médicos recentemente e estava aguardando ansiosamente os resultados. Ela disse: "Sempre fico calada e apenas oro quando estou tendo de lidar com alguma coisa deste tipo".

Eu lhe disse que ficar quieta e orar era a coisa certa a fazer, mas que seria bom da próxima vez apenas mencionar para todos que estava tendo problemas pessoais e que não tivéssemos pensamentos errados se ela nos parecesse calada. Fazendo isso, ela poderia impedir que o diabo colocasse coisas negativas na imaginação das outras pessoas a respeito da situação.

As pessoas nos respeitam quando somos abertos e diretos. Aprendi essa verdade com minha família, e ela nos poupou muita ansiedade.

Lembre que o diabo usará as nossas emoções para nos colocar debaixo de culpa e condenação, mas Deus costuma usá-las para nos testar ou nos provar para que saiamos das nossas crises emocionais mais fortes e mais capazes de controlá-las do que nunca.

O truque é aprender a não ceder às emoções ou satisfazê-las. Passei muitos anos em altos e baixos emocionais, mas agora sou uma pessoa muito estável. Deus nos ajuda à medida que continuamos confiando Nele e seguindo a direção do Espírito Santo.

O PREÇO POR SATISFAZERMOS AS EMOÇÕES

> Quem é dominado pela carne não pode agradar a Deus.
>
> ROMANOS 8:8

A *Amplified Bible* nos diz nesse mesmo versículo que "viver segundo a carne é servir aos apetites e impulsos da natureza carnal".

Ora, todos nós já frequentamos banquetes e outros eventos onde fomos servidos. É sempre divertido ser servido, ter nossas necessidades atendidas imediata e totalmente por outra pessoa. Mas sempre há um preço a ser pago por esse tipo de serviço.

O mesmo acontece na área das emoções. Há um preço que teremos de pagar por nos colocarmos na posição de servir aos desejos e às exigências de nossas emoções — o que a Bíblia chama de nossa "carne".

> A mentalidade da carne é morte, mas a mentalidade do Espírito é vida e paz.
>
> ROMANOS 8:6

Isso significa que se você e eu seguirmos os ditames e as exigências da nossa carne —nossas emoções desenfreadas — teremos um preço a pagar. Por quê?

> A mentalidade da carne é inimiga de Deus porque não se submete à Lei de Deus, nem pode fazê-lo.
>
> ROMANOS 8:7

Parte do preço que devemos pagar por servir às nossas emoções é não sermos capazes de viver a vida cheia do Espírito.

> Quem vive segundo a carne tem a mente voltada para o que a carne deseja; mas quem vive de acordo com o Espírito, tem a mente voltada para o que o Espírito deseja.
>
> ROMANOS 8:5

A Bíblia ensina claramente que a carne se opõe ao Espírito, e o Espírito se opõe à carne. Eles são continuamente antagônicos. Isso significa que não podemos ser guiados por nossas emoções e ainda sermos guiados pelo Espírito Santo, de modo que temos de fazer uma escolha.

Ora, quando a Bíblia diz que aqueles que servem às suas emoções não podem agradar ou satisfazer a Deus ou ser aceitáveis a Ele, ela não quer dizer que Deus não as ama.

Você e eu podemos estar em uma terrível crise emocional e ainda sermos amados pelo nosso Pai celestial. O fato de estarmos com problemas emocionais não significa que não vamos para o céu. Significa apenas que Deus não está satisfeito com o nosso estilo de vida. Por quê? Porque isso coloca Deus em uma posição na qual Ele não pode fazer por nós o que gostaria de fazer.

Como mencionei anteriormente, todos nós queremos que nossos filhos sejam abençoados e desfrutem nossa herança. Mas se um de nossos filhos optar por seguir um estilo de vida de sensualidade desenfreada, não ficaremos inclinados a confiar a nossa herança a ele porque sabemos que simplesmente ele a esbanjará e a desperdiçará em uma vida desordenada, satisfazendo à "concupiscência da carne". Quando o apóstolo Paulo diz que Deus não se agrada com aqueles que vivem segundo a carne em vez de viverem segundo Seu Espírito, creio que Paulo quer dizer que não pode ser confiado a eles o melhor de Deus.

IMPULSOS NATURAIS

> Porque ainda são carnais. Porque, visto que há inveja e divisão entre vocês, não estão sendo carnais e agindo como mundanos?
>
> 1 CORÍNTIOS 3:3

Em sua carta à Igreja de Corinto, o Apóstolo Paulo chamou os Coríntios de carnais porque eles não estavam vivendo segundo o Espírito de Deus, mas segundo sua natureza humana, que estava sob o controle dos "impulsos naturais".

Observe que Paulo não disse que aquelas pessoas eram carnais porque tinham impulsos naturais, mas porque estavam *sob o controle* dos impulsos naturais. Em vez de controlar seus impulsos, elas estavam permitindo que os impulsos as controlassem.

Defino *impulso* como um ímpeto repentino que força uma pessoa a uma ação, ou a uma tendência inerente, irracional. Creio que uma pessoa impulsiva é alguém que tende a agir com base na emoção e não na lógica ou na sabedoria.

Costumamos falar de "compras por impulso", o que, naturalmente, se refere a comprar alguma coisa sem realmente parar e refletir com atenção sobre a compra.

Paulo diz que ser impulsivo, ou ser guiado por impulsos naturais em vez de pelo Espírito de Deus, nos leva a todo tipo de males como o ciúme, a inveja e a contenda — em suma, todas as coisas que geram divisões e facções entre nós.

AS EMOÇÕES SÃO O INIMIGO

Watchman Nee fez duas afirmações importantes sobre as emoções em seu livro *O Homem Espiritual*: 1) "As emoções podem ser chamadas de o inimigo mais formidável da vida de um cristão espiritual"; e 2) "Aquele, pois, que vive por emoção vive sem princípios".[7]

O que ele estava dizendo era a mesma coisa que Paulo está dizendo nessa passagem. Não podemos ser espirituais — isto é, andar no Espírito — e sermos guiados pelas emoções.

As emoções não irão embora, mas podemos aprender a administrá-las. Todos nós temos emoções e precisamos lidar com elas, mas não podemos confiar nelas! Por quê? Porque as emoções são o nosso maior inimigo. Mais do que qualquer outra coisa, Satanás usa nossas emoções contra nós para nos impedir de andarmos no Espírito.

Sabemos que a mente é o campo de batalha — o lugar onde a batalha é travada entre o Espírito e a alma. Li que quando a emoção dispara, a mente é enganada e é negado à consciência o seu padrão de julgamento.

As pessoas costumam me perguntar: "Como posso saber com certeza se estou ouvindo a Deus ou às minhas emoções?".

Creio que a resposta é aprender a esperar. As emoções nos estimulam à pressa. Elas nos dizem que temos de fazer algo, e que precisamos fazer isso imediatamente! Mas a sabedoria divina nos diz para esperarmos até termos uma imagem clara daquilo que devemos fazer e de quando devemos fazê-lo.

O que todos nós precisamos fazer é desenvolver a capacidade de recuar e visualizar nossa situação do ponto de vista de Deus. Precisamos ser capazes de tomar decisões fundamentadas no que *sabemos* e não no que *sentimos.*

Muitas vezes dizemos: "Bem, sinto que Deus quer que eu faça isto ou aquilo". Na verdade, o que estamos dizendo é que sentimos no nosso espírito que o Senhor está nos dizendo para fazer ou não fazer alguma coisa. Não estamos falando de agir segundo as nossas emoções, mas segundo o que percebemos espiritualmente ser a vontade de Deus para nós naquela situação.

Sempre que nos deparamos com uma decisão, precisamos perguntar a nós mesmos: "Estou tomando esta decisão de acordo com os meus sentimentos ou de acordo com a vontade de Deus?".

Deixe-me dar um exemplo da minha experiência pessoal.

DISCERNIMENTO EMOCIONAL

> Porque andamos por fé [regulamos nossa vida e nos conduzimos pela nossa convicção ou crença concernentes ao relacionamento do homem com Deus e com as coisas divinas, com confiança e santo fervor; assim andamos] não por vista ou aparência.
>
> 2 Coríntios 5:7, AMP

Meu marido Dave e eu temos uma forma de lidar com o dinheiro. Eu recebo um adiantamento a cada semana, e ele também. Geralmente economizo meu dinheiro para comprar roupas e outras coisas que quero ou de que preciso.

Certa vez, eu tinha economizado cerca de quatrocentos dólares para comprar um relógio de ouro, o que eu precisava fazer aproximadamente uma vez por ano, uma vez que a minha pele é muito ácida. Eu queria comprar um bom relógio de ouro quatorze quilates, para que a pulseira não perdesse a cor.

Como já havia algum tempo que eu estava procurando um relógio, e havia descoberto que o tipo de relógio que eu queria custaria cerca de oitocentos ou novecentos dólares, eu estava economizando meu dinheiro para isso.

Certo dia, Dave e eu estávamos no shopping e por acaso paramos em uma joalheria onde vi um relógio que era apenas banhado em ouro, mas que era realmente muito bonito. Ele combinava com meu anel e parecia ser exatamente o que eu estava procurando. Ele coube perfeitamente no meu braço, de modo que a pulseira não precisaria ser cortada. Não apenas isso, mas o balconista ainda se dispôs a me dar um desconto, e o relógio de trezentos e noventa e cinco dólares passaria a custar trezentos e dezesseis. Então, minhas emoções disseram, "SIM! É exatamente este que eu quero!".

Mas então, meu marido disse:

— Bem, você sabe, ele não é de ouro quatorze quilates.

Então perguntei ao vendedor:

— Quanto tempo você acha que o banho a ouro vai durar?

— Bem, ele pode durar de cinco a dez anos — disse ele —, dependendo da acidez da sua pele.

Olhei para Dave e disse:

— Ah, eu realmente gostei deste relógio. O que devo fazer?

— O dinheiro é seu — respondeu ele.

— Vou lhe dizer o que vou fazer — eu disse ao vendedor. — Separe-o para mim por meia hora. Vou andar pelo shopping um pouco mais. Se eu quiser o relógio, voltarei dentro de trinta minutos.

Então Dave e eu andamos pelo shopping por algum tempo. Enquanto fazíamos isso, passamos por uma loja de vestidos. Como eu precisava de algumas roupas novas, entrei e encontrei uma roupa muito bonita. Experimentei-a, e ela caiu perfeitamente.

— Esta é uma roupa muito bonita — disse Dave. —Você deveria realmente comprá-la.

Olhei a etiqueta e vi que o preço era de duzentos e setenta e nove dólares.

— Não é de admirar que ela tenha ficado tão bem em mim — respondi. — Mas eu realmente queria aquela roupa!

Depois de algum tempo, coloquei a roupa de volta no cabide.

—Você não vai comprá-la? — Dave perguntou.

— Não — respondi. — Não vou comprá-la também. Vou pensar.

Na verdade, havia três coisas que eu queria. Eu queria o relógio. Eu queria a roupa. E eu não queria ficar sem dinheiro. Eu queria ter algum dinheiro à mão para comprar pequenas coisas de que eu precisasse eventualmente e para poder fazer algumas coisas de que gostava, como levar meus filhos para almoçar de vez em quando.

O que fiz? Apliquei a sabedoria. Decidi esperar. O relógio teria levado todas as minhas economias e ainda não seria o que eu realmente precisava. A roupa era linda, mas também teria levado a maior parte das minhas economias. Como as mangas eram longas, eu não poderia usá-la até o próximo outono. Ela ficaria pendurada no armário por muito tempo.

Decidi que a melhor coisa a fazer era ficar com o meu dinheiro e esperar até que eu tivesse certeza do que mais queria.

Realmente aprendi uma lição com essa experiência. Senti paz com a minha decisão. Por mais que eu tivesse ficado satisfeita ao comprar o relógio ou a roupa, eu sabia que havia feito a coisa certa.

Acontece que, mais tarde, meu marido comprou para mim o relógio e a roupa — além de um anel para combinar! Tudo saiu perfeitamente porque eu estava disposta a ouvir a razão e a aplicar a sabedoria em vez de ser controlada pelas minhas emoções.

Se estivermos dispostos a aprender a controlar nossas emoções, Deus nos abençoará. Não estou dizendo que se você adiar todas as decisões, alguém as tomará por você e você conseguirá tudo o que quer e muito mais. *Estou* dizendo que geralmente o caminho mais sábio é: quando estiver em dúvida, não faça nada!

Quando você se deparar com uma decisão difícil, espere até ter uma resposta clara antes de dar um passo que poderá lamentar depois. As emoções são maravilhosas, mas não devemos permitir que elas se elevem acima da sabedoria e do conhecimento. Lembre: controle suas emoções, e não permita que elas controlem você.

Capítulo 2

A Cura das Emoções Feridas, Parte 1

A cura das feridas emocionais é um processo, não algo que ocorre de uma só vez ou da noite para o dia. É algo que requer um investimento de tempo e obediência diligente às ordens de Deus.

Por experiência própria, percebo que muitas vezes parece que não está ocorrendo progresso algum. É possível que você sinta que tem tantos problemas que não está chegando a lugar algum.

Mas você está!

Você precisa ter em mente que embora tenha um longo caminho a percorrer, também já percorreu uma grande parte dele. A solução é agradecer a Deus pelo progresso que você fez até agora e confiar nele para conduzi-lo à vitória final — um passo de cada vez.

UM PASSO DE CADA VEZ

Nas minhas palestras sobre este assunto, gosto de segurar diversos cadarços de sapatos coloridos amarrados juntos em um nó. Em seguida, digo à minha audiência: "É assim quando você inicia o processo de transformação com Deus. Você está todo amarrado. Cada nó representa um problema diferente em sua vida. Desembaraçar esses nós e endireitar esses problemas vai exigir um pouco de tempo e esforço, portanto, não desanime se isso não acontecer de uma só vez".

Todos nós temos muitos problemas do mesmo tipo, mas Deus não trata com todos eles ao mesmo tempo nem com todos nós da mesma maneira. O Senhor pode estar tratando com uma pessoa sobre a sua boca, com outra sobre o seu egoísmo, e com outra sobre a sua ira ou amargura.

Se você quer receber a cura emocional de Deus e entrar em uma área de saúde integral, precisa entender que a cura é um processo, e permitir que o Senhor trate você e o seu problema da Sua maneira e no Seu tempo. A sua parte é cooperar com Ele seja qual for a área que Ele escolher começar a tratar em primeiro lugar em sua vida.

Você pode querer trabalhar determinada área, e Deus pode querer começar com outra. Se seguir sua própria agenda, logo você verá que não há unção para aquele problema. A graça de Deus não está presente para libertar você fora do tempo Dele.

Costumo dizer às pessoas em meus seminários: "Ser convencido pela mensagem que você está ouvindo nesta reunião não significa que você deve sair e estabelecer um plano de dez passos para lidar com essa situação. Primeiramente, você deve orar e pedir a Deus para começar a operar nessa área da sua vida. Em seguida, precisa cooperar com Ele à medida que Ele faz isso".

Pode se passar uma hora ou vários anos enquanto Deus trata com cada um de nós em uma área específica de cada vez. No meu caso, Deus tratou comigo durante um ano inteiro para fazer com que eu entendesse que Ele me ama.

Jamais me esquecerei. Eu precisava desse fundamento em minha vida. Precisava desesperadamente saber o quanto Deus me amava pessoalmente, não apenas quando eu havia feito o que achava que devia fazer, mas o tempo todo — quer eu "merecesse" o Seu amor ou não.

Eu precisava saber que Deus me amava incondicionalmente e que o Seu amor não era algo que eu pudesse comprar com obras ou com bom comportamento.

Como parte do processo, comecei a levantar todas as manhãs dizendo: "Deus me ama!". Quando fazia alguma coisa errada, eu dizia: "Deus me ama!". Quando enfrentava provações ou problemas, eu dizia sem parar: "Deus me ama!". Todas as vezes que Satanás tentava roubar minha certeza desse amor, eu repetia sem parar: "Deus me ama! Ele me ama!".

Eu lia livros sobre o amor incondicional e infinito de Deus. Permaneci nessa verdade fundamental continuamente até que ela estivesse firmemente incrustada na minha mente e no meu coração: "Deus me ama!". Através do processo de estudo e meditação contínuos nessa área, passei a estar arraigada e firmada no amor de Deus como o apóstolo Paulo nos encoraja a fazer em Efésios 3.

Um dos nossos problemas reside no fato de que em nossa sociedade moderna instantânea tendemos a saltar de uma coisa para outra. Passamos a esperar que tudo seja rápido e fácil. Não queremos lutar para resolver um problema até vermos uma reviravolta na situação e sabermos que tivemos vitória naquela área.

Contudo, o Senhor não é assim. Ele nunca se apressa; Ele nunca desiste. Ele tratará conosco sobre uma área específica, e então nos deixará descansar por algum tempo — mas não por muito tempo. Logo voltará e começará a trabalhar em outra área. Ele continuará até que, um por um, nossos "nós" estejam todos desamarrados.

Às vezes parece que você não está progredindo porque o Senhor está desembaraçando um nó de cada vez. Pode ser difícil, e pode levar tempo, mas se você "se ativer ao programa", mais cedo ou mais tarde verá a vitória e a liberdade pelas quais esperava há tanto tempo.

Em certas áreas recebi a libertação em alguns meses ou em um ano, mas havia uma área em minha vida que levou quatorze longos anos para ser superada. Talvez você não seja tão teimoso e cabeça-dura quanto eu era, de modo que talvez não leve tanto tempo para derrubar a fortaleza que o mantém cativo. O importante a lembrar é: independentemente do quanto demore, nunca desista — insista!

CONTINUE AVANÇANDO

A principal coisa que Deus pede ou exige que façamos para trazer uma resposta aos nossos problemas é que acreditemos e continuemos avançando. Estude a Palavra de Deus e passe tempo com Ele.

O que mais podemos fazer?

Apenas porque temos um nó em nossa vida, não significa que somos capazes de desatá-lo sozinhos. Alguns nós são mais difíceis do que outros. Na verdade, se não tomarmos cuidado podemos até mesmo deixá-los pior do que estavam. Muitas vezes, em nossos esforços para desembaraçar nossos nós, tudo que fazemos é piorar as coisas.

Houve uma vez em minha vida em que fiquei tão emaranhada nos meus problemas e nos meus esforços inúteis para desembaraçá-los, que já não era capaz de ajudar a mim mesma ou a qualquer outra pessoa.

Mas quando aprendi a deixar o Senhor cuidar dos problemas e a apenas cooperar com Ele, as coisas começaram a funcionar muito melhor. Agora sou livre em Jesus e posso ajudar outros que estão tão amarrados e emaranhados como eu estava.

PROBLEMAS QUE AS PESSOAS MANIFESTAM

Há pessoas que foram gravemente feridas emocionalmente. Tenho a sensação de que a maioria de nós um dia fez ou fará parte desse grupo de uma maneira ou de outra, portanto, vamos examinar alguns desses problemas.

Algumas pessoas acreditam que não têm valor algum. Nutrem um sentimento de ódio por si mesmas fundamentado na vergonha, rejeitam a si mesmas e ouvem uma voz interior que lhes diz que não valem nada, que há algo de errado com elas.

Durante anos, vivi com um pensamento que me incomodava: "Qual é o meu problema?".

Não é estranho que quando nascemos de novo, a primeira coisa que o Senhor queira nos dar seja a Sua justiça por meio do Seu sangue, a fim de que possamos parar de perguntar o que está errado conosco e comecemos a confessar o que está certo conosco agora que estamos em Cristo?

Outras pessoas se tornam perfeccionistas. Estão sempre tentando provar seu valor, e ganhar amor e aceitação através do seu desempenho. Essas pessoas sempre se esforçam para se saírem um pouco melhor na esperança de que alguém as ame e as aceite mais.

Outras são hipersensíveis.Você se lembra do que o apóstolo Paulo diz sobre o amor em 1 Coríntios 13:5: "... não é hipersensível..." (AMP).

Você é "hipersensível"? Gostaria de ser liberto dessa hipersensibilidade? Em caso positivo, parte da resposta é encarar o fato de que se você é hipersensível, o problema não são as pessoas que frequentemente ofendem ou ferem seus sentimentos, mas sim você e sua natureza hipersensível. Se uma pessoa segura irá curá-lo da hipersensibilidade.

Uma das coisas que mais me ajudaram nessa área foi uma declaração simples que ouvi anos atrás de uma senhora que estava lendo um livro sobre o assunto. Ela me disse: "Sabe, o livro que estou lendo diz que noventa e cinco por cento das vezes em que as pessoas ferem seus sentimentos, na verdade, elas não pretendiam fazer isso".

Significa que se seus sentimentos se ferem com facilidade, é porque você escolhe se sentir assim. A boa notícia, porém, é que você também pode escolher o contrário.

Quero encorajá-lo a realmente deixar a hipersensibilidade de lado.Você se sentirá muito melhor consigo mesmo e com os outros.

Sei disso. Eu costumava ficar com os sentimentos feridos se meu marido não comprasse um presente de aniversário para mim ou fizesse alguma coisa que eu achasse que ele devia fazer para demonstrar que me amava e me valorizava. Se ele deixasse de me elogiar quando eu achava que devia fazer isso, eu ficava com os sentimentos feridos.

Se você entra em uma sala e não atrai a atenção que acha que merece, você se sente magoado? Sente que as pessoas não o estimam da maneira que deveriam? Se você é assim, precisa colocar esse problema nas mãos de Deus e deixar que Ele desamarre esse nó da hipersensibilidade.

Uma das coisas que me ajudou tremendamente durante os últimos anos foi aprender a me colocar nas mãos de Deus e deixar que Ele resolva as coisas da melhor maneira. Tento me entregar completamente nas mãos Dele e confio que Ele me dará o que deseja para mim.

Em resumo, estou aprendendo a não esperar que as outras pessoas supram minhas necessidades, mas em vez disso espero que o Senhor as supra, pois Ele sabe o que é melhor para mim.

É interessante observar que as pessoas que são hipersensíveis quanto ao que os outros fazem a elas em geral são totalmente insensíveis em relação ao que elas fazem aos outros.

Eu era assim. Era hipersensível e, no entanto, era uma pessoa de difícil convivência por ser muito insegura.

Muitas vezes as pessoas são hipersensíveis porque foram magoadas no passado, e assim suas emoções feridas ficam doloridas facilmente. É por isso que são tão hipersensíveis.

Isso acontecia comigo. Como muitas pessoas, por não conseguir o amor de que eu precisava na maior parte da minha vida, continuei tentando fazer com que as outras pessoas me fizessem feliz. Quando me casei, tornei-me o tipo de pessoa que sufoca a outra. Por me terem sido negados o amor e a afeição, eu tendia a sufocar qualquer pessoa que demonstrasse algum tipo de afeto ou atenção para comigo.

Aprendi que em um relacionamento conjugal, precisamos permitir que nosso parceiro tenha alguma liberdade. Precisamos nos livrar do medo do homem e desenvolver em seu lugar o temor e a reverência diante de Deus.

Por que alguns de nós temos um medo tão forte do que as outras pessoas pensam a nosso respeito? O motivo está no fato de termos uma autoimagem negativa. Nós nos tornamos menos valiosos ou dignos aos olhos de Deus por causa da opinião negativa de alguém a nosso respeito? É claro que não, mas nos sentimos menos valiosos se não estivermos seguros de quem somos em Cristo.

As pessoas que têm muito medo dos outros são bons candidatos a se sujeitarem a um espírito controlador. Temos de tomar muito cuidado nessa área.

Muitas vezes as pessoas que sofrem de baixa autoestima se permitem ser controladas por alguém que promete lhes demonstrar amor ou aceitação. Elas se permitem ser manipuladas como um fantoche amarrado por fios. Têm medo de cortar os fios porque temem perder a atenção que recebem do controlador. Elas têm medo da solidão.

E existem aqueles que, por causa das feridas emocionais, tornam-se controladores e manipuladores. Eu fui um deles.

Quando me casei, como consequência das minhas feridas do passado, tinha muita dificuldade em me submeter ao meu marido no Senhor como a Bíblia ensina em Efésios 5:22 e Colossenses 3:18. Eu tinha medo de que, se me submetesse a ele e permitisse que ele exercesse algum tipo de controle sobre mim, ele iria me machucar.

Dave ficava me dizendo: "Joyce, eu não vou machucar você! Você não entende que eu a amo e que as decisões que tomo são o melhor para você? Deus me deu essa função".

Mas, durante muito tempo, eu não conseguia ver isso. Não era capaz de imaginar que alguém pudesse se importar comigo o suficiente a ponto de tomar decisões que me beneficiassem de alguma maneira. Achava que se permitisse que alguém exercesse algum tipo de controle sobre minha vida, esse alguém se aproveitaria de mim e faria o que era melhor para ele, e não para mim. Há pessoa que realmente fazem isso, mas Dave não era uma delas. Deus está nos pedindo para confiarmos Nele e acreditarmos que se as pessoas nos tratarem injustamente, Ele nos vingará.

Quando fomos feridos no passado, tendemos a arrastar nossas feridas para os nossos novos relacionamentos. Uma das coisas que Deus quer fazer por nós é nos ajudar a aprender a desfrutar os novos relacionamentos que desenvolvemos, em vez de os arruinarmos por causa das experiências negativas que tivemos no passado.

Depois, existem os vícios: alcoolismo, vícios em drogas, vício em comida, vício com gastos, e daí por diante. Deus quer curar você. Ele quer curá-lo desse sentimento de que você não tem valor, da vergonha e do ódio por si mesmo e da rejeição a si mesmo, dos vícios, da hipersensibilidade, do medo e do esforço para ser um perfeccionista, sempre tentando agradar a Deus.

Certa vez o Senhor me disse: "Joyce, não sou nem de longe tão difícil de agradar quanto as pessoas acham que sou".

Deus não exige que eu e você sejamos perfeitos. Se pudéssemos ser perfeitos, não teria sido necessário enviar Jesus, o Sacrifício Perfeito, para morrer em nosso lugar.

Deus tem a maravilhosa capacidade de nos amar apesar das nossas imperfeições. Ele quer nos curar dos nossos medos, fraquezas e vícios emocionais. Mas para que Ele possa fazer isso, precisamos estar dispostos a ser ajudados.

ESTEJA DISPOSTO A RECEBER AJUDA

> Eu sou o caminho...
>
> João 14:6

Muitas pessoas estão sofrendo e clamando por ajuda. O *problema* é que elas não estão dispostas a receber a ajuda que precisam de Deus.

A *verdade* é que, independentemente de quanto possamos querer ou precisar de ajuda, nunca a receberemos até que estejamos dispostos a fazer as coisas do jeito de Deus. É impressionante quantas vezes queremos ajuda, mas queremos que Deus faça isso do *nosso* jeito. Deus quer que façamos as coisas do jeito *Dele*.

Em João 14:6, Jesus disse: "Eu sou o caminho". Recebi um bom entendimento a respeito dessa verdade quando estava preparando essa mensagem. O que Jesus queria dizer quando afirmou "Eu sou o caminho" é que Ele tem um determinado caminho para fazer as coisas, certa maneira, e se nos submetermos à Sua maneira, tudo dará certo para nós. Frequentemente, porém, nós lutamos e brigamos com Ele, tentando fazer com que Deus faça as coisas do nosso jeito. E isso simplesmente não vai funcionar.

Por exemplo, no meu ministério, dizemos às pessoas constantemente: "Você precisa seguir a Palavra de Deus — precisa ler e estudar a Bíblia diariamente". Do contrário elas não saberão qual é o caminho de Deus e como receber a ajuda Dele.

Quantas vezes as pessoas se colocaram diante de mim no altar e me contaram todo tipo de coisas terríveis que estão acontecendo em suas vidas e o quanto elas estão sofrendo — e quero ajudá-las — mas elas se recusam terminantemente a fazer o que lhes é dito a fim de receberem a ajuda de que necessitam.

Eu pergunto a elas: "Você está seguindo a Palavra?".

"Bem, não exatamente".

"Você frequenta a igreja?"

"Não, nem sempre".

"Com que frequência você vem a reuniões espirituais como esta?"

"De vez em quando, talvez uma vez por ano".

"Você ouve CDS de ensino e pregação?"

"Ah, eu tenho uns quatro ou cinco, mas nunca os ouvi".

Nem sempre é assim, mas geralmente a situação é de descuido e indiferença. O fato é que as pessoas estão tentando frequentemente encontrar alguma outra maneira de conseguir ajuda em vez de fazer as coisas do jeito de Deus.

A Bíblia nos ensina claramente que se aprendermos a Palavra e agirmos com base nela, Deus abençoará nossa vida.

Deixe-me dar-lhe um exemplo. A Bíblia nos ensina que devemos viver em harmonia e paz com os outros e perdoar aqueles que nos fizeram mal. Se nos recusarmos a fazer isso, que esperança temos de receber o que precisamos?

Se não fizermos o que podemos fazer, Deus não fará o que não podemos fazer. Se fizermos o que podemos fazer, Deus fará o que não podemos fazer. É simples assim.

Entendo que um dos motivos pelos quais nem sempre fazemos o que nos é dito na Palavra de Deus é porque é difícil agir com base na Palavra em vez de agir de acordo com nossos sentimentos.

Lembro-me de como foi difícil para mim a primeira vez que o Senhor me disse que eu tinha de procurar meu marido e dizer a ele que sentia muito por ter sido rebelde com ele. Achei que fosse morrer ali mesmo. Minha carne gritou, bradou e se enfureceu. Devido à maneira como eu havia sido maltratada nos dias da minha infância, tinha dificuldade em me submeter, principalmente a homens. Eu achava que agora que finalmente tinha algum controle sobre a minha vida, não tinha a intenção de "dobrar o meu joelho" para ninguém! Eu não tinha a intenção de mostrar o que, pelo menos para mim, era um "sinal de fraqueza".

Agora entendo que o Senhor estava me pedindo para demonstrar mansidão, que significa força sob controle,[1] e não fraqueza, que é a submissão ao domínio.

O mundo vai nos dizer que se nos humilharmos, pedirmos perdão pelos nossos erros e tomarmos as atitudes necessárias à paz, estamos sendo fracos e deixando que os outros pisem em nós. Mas Deus diz que isso é mansidão e não fraqueza. Sempre que Deus procura alguém para usar, Ele procura uma pessoa mansa. Somente uma pessoa mansa obedecerá a Deus de forma consistente.

A Bíblia diz que Moisés era o homem mais manso da face da terra quando Deus o chamou para fazer o trabalho que havia separado para ele (Números 12:3). Tudo o que temos de fazer hoje é o que Moisés teve de fazer — obedecer.

OBEDEÇA À PALAVRA

> Sejam praticantes da palavra, e não apenas ouvintes, enganando-se a si mesmos.
>
> TIAGO 1:22

Lembro-me de uma mulher que participou de um de meus seminários. Ela tinha muitas feridas emocionais que a haviam deixado insegura e medrosa. Ela queria desesperadamente ser livre, mas parecia que nada funcionava para ela.

No término do seminário, ela me disse que agora entendia por que nunca havia feito qualquer progresso. Ela disse: "Joyce, sentei-me com um grupo de mulheres que, no passado, tiveram muitos dos mesmos problemas que eu. Elas também tinham problemas emocionais, mas passo a passo, Deus as libertou. À medida que as ouvia, notei que todas diziam: 'Deus me dirigiu a fazer isto, e eu fiz. Então Ele me dirigiu a fazer outra coisa, e eu fiz'. Enquanto estava sentada ali, percebi que Deus também me havia dito para fazer as mesmas coisas que dissera àquelas mulheres. A única diferença foi que elas fizeram o que Ele disse, e eu não".

Para receber de Deus o que Ele nos prometeu em Sua Palavra, precisamos obedecer à Palavra. Sim, precisamos receber a Palavra, mas depois precisamos nos tornar praticantes da Palavra e não apenas ouvintes.

Precisamos frequentar um estudo bíblico e a igreja para ouvirmos a Palavra, mas também precisamos sair por este mundo e colocarmos essa palavra em prática em nossa vida diária. Haverá vezes em que fazer o que a Palavra diz não será fácil, momentos em que não *sentiremos* vontade de fazer o que ela nos diz para fazer.

Obedecer à Palavra requer persistência e diligência. Não pode ser algo eventual. Não podemos simplesmente fazer isso por algum tempo para ver se funciona. Deve haver uma dedicação e um compromisso de praticar a Palavra seja qual for o resultado.

Tenho lidado com essa questão por muito, muito tempo, e acredite-me quando digo que aqueles que fazem as coisas do jeito de Deus alcançam a vitória!

Talvez você diga "Sim, mas tenho praticado a Palavra por muito tempo, e ainda não alcancei a vitória!".

Então, pratique um pouco mais. Ninguém sabe exatamente quanto tempo vai levar até que a Palavra comece a dar fruto em sua vida. Mas eu lhe garanto que se você continuar perseverando, mais cedo ou mais tarde ela irá funcionar.

O jeito de Deus funciona! E não há outro jeito que funcione.

Sei que muitas vezes é uma luta "continuar perseverando" — principalmente quando parece que não está acontecendo nada. Sei que é um combate. Sei que Satanás tenta mantê-lo fora da Palavra, e quando você começa a viver de acordo com a Palavra, ele tenta de tudo para impedir que você a coloque em prática em sua vida. Também sei que quando você começa a colocar a Palavra em prática, ele faz todo o possível para fazer com que você pense que isso não vai dar certo.

É por isso que você precisa perseverar. Peça a Deus para ajudá-lo lhe dando o desejo de viver de acordo com a Sua Palavra e de fazer isso independentemente do quanto seja difícil ou de quanto demore para produzir resultados em sua vida.

VOCÊ QUER SER CURADO?

> Um dos que estavam ali era paralítico fazia trinta e oito anos. Quando o viu deitado e soube que ele vivia naquele estado durante tanto tempo, Jesus lhe perguntou: "Você quer ser curado?".
>
> João 5: 5-6

Não é impressionante o fato de Jesus ter perguntado àquele pobre homem, que havia estado enfermo por trinta e oito longos anos: "Você quer realmente ser curado?".

Essa é a pergunta que o Senhor faz a você enquanto lê estas palavras neste instante: "Você quer realmente ser curado?".

Você sabe que existem pessoas que realmente não querem ser curadas? Elas só querem falar sobre o problema. Você é uma dessas pessoas? Você quer realmente ser curado ou você só quer falar sobre seu problema?

Às vezes, as pessoas ficam viciadas em ter um problema. Ele passa a ser a identidade delas, a vida delas. O problema define tudo que elas pensam, dizem e fazem. Todo o ser delas está centralizado ao redor dele.

Se você tem um "transtorno profundo e permanente", o Senhor deseja que você saiba que ele não tem de ser o ponto central de toda sua existência. Ele quer que você confie Nele e coopere com Ele enquanto o conduz à vitória sobre esse problema, um passo de cada vez.

Não tente usar seu problema como um meio de conseguir atenção, simpatia ou piedade.

Quando eu costumava reclamar com meu marido, ele me dizia: "Joyce, não vou sentir pena de você".

"Não estou tentando fazer com que você sinta pena de mim", eu protestava.

"Sim, você está", ele dizia. "E eu não vou fazer isso porque se fizer, você nunca superará seus problemas".

Isso costumava me deixar tão furiosa que eu poderia quebrar os ossos dele. Ficamos zangados com aqueles que nos dizem a verdade. E a verdade é que antes que possamos ficar bem, precisamos realmente *querer* estar bem — de corpo, alma e espírito. Precisamos querer o suficiente e estar dispostos a ouvir e aceitar a verdade.

Deus opera de forma diferente com as pessoas. Cada um de nós precisa aprender a seguir o plano pessoal de Deus para nós. Seja qual for nosso problema, Deus prometeu suprir a nossa necessidade e reparar a nossa perda. Encarar a verdade é a chave para destrancar as portas da prisão que pode ter nos mantido cativos.

A JUSTIÇA DE DEUS

> Em lugar da vergonha que sofreu, o meu povo receberá porção dupla, e ao invés da humilhação, ele se regozijará em sua herança; pois herdará porção dupla em sua terra, e terá alegria eterna.
>
> ISAÍAS 61:7

O versículo anterior na versão *Amplified* da Bíblia utiliza a palavra *recompensa* no lugar da palavra porção. *Recompensa* significa "indenização".[2] Assim, quando o profeta diz que o Senhor nos recompensará pela nossa vergonha, desonra e repreensão, ele quer dizer que Deus nos indenizará pelos sofrimentos que tivemos na vida.

A Bíblia diz: "Amados, nunca procurem vingar-se, mas deixem com Deus a ira, pois está escrito: 'Minha é a vingança; eu retribuirei' diz o Senhor" (Romanos 12:19).

Um dos maiores erros que cometemos é tentar nos vingar, acertar as contas, colocar os pesos da balança equilibrados, em vez de confiar em Deus para fazer isso por nós. Se tentarmos fazer isso nós mesmos, só terminaremos criando uma terrível confusão.

Quando a Bíblia fala sobre recompensa ou justiça, ela quer dizer simplesmente que você e eu teremos o que é certo para nós, o que está vindo para nós.

Ora, como filhos de Deus comprados pelo sangue, sabemos que desde que confiemos no Senhor, sejamos obedientes a Ele e nos arrependamos dos nossos pecados e das nossas falhas, não receberemos o que virá a nós na forma de punição pelos nossos pecados, mas teremos recompensas pela nossa justiça. Jesus levou a nossa punição, e nós recebemos a Sua herança.

A Bíblia diz no Salmo 37:1-2: "Não se aborreça por causa dos homens maus e não tenha inveja dos perversos; pois como o capim logo secarão, como a relva verde logo murcharão".

O amor de Deus é derramado nos nossos corações pelo Espírito Santo (Romanos 5:5). Não queremos que ninguém seja "ceifado" e "murche", até mesmo aqueles que nos fizeram mal. Na minha própria vida, cheguei ao ponto de não querer ver meus atormentadores terem uma vida infeliz. Mas o que Deus prometeu a nós que pertencemos a Ele e o seguimos é que aqueles que nos feriram um dia pagarão por suas transgressões contra nós, a não ser que cheguem ao arrependimento. Mas Deus nos compensará se confiarmos Nele para fazer isso.

Muitas vezes os crentes não parecem entender que não devem fazer justiça com as próprias mãos. Muitos estão irados pelo que foi feito a eles — e essa ira se manifesta de muitas formas destrutivas.

Parte do problema é que nós como cristãos ainda não aprendemos que "a chuva deve cair sobre cada vida". O Salmo 34:19 diz: "O justo passa por muitas adversidades...". Embora sejamos filhos de Deus, nem tudo correrá exatamente da maneira que queremos, e nem todos nos tratarão exatamente da maneira que gostaríamos de ser tratados.

Mas a Bíblia nos ensina que se continuarmos a confiar em Deus independentemente do que nos aconteça, se mantivermos os nossos olhos Nele e tivermos fé e confiança, os pesos da balança ficarão equilibrados. A segunda metade do Salmo 34:19 diz: "... mas o Senhor o livra de todas!". Virá o tempo em que tudo se endireitará. Nossos inimigos pagarão por toda a traição, e receberemos o dobro por tudo que perdemos e sofremos.

Vale a pena esperar pela verdadeira justiça.

UMA RECOMPENSA MUITO GRANDE

> Depois dessas coisas o Senhor falou a Abrão numa visão: "Não tenha medo, Abrão! Eu sou o seu escudo; grande será a sua recompensa!".
>
> GÊNESIS 15:1

Nessa passagem vemos que o Senhor veio a Abraão e prometeu que se ele fosse fiel e obediente, Ele mesmo seria a sua grande recompensa e retribuição. Mais adiante, em Gálatas 3, nos é dito que a benção de Abraão não foi apenas para ele, mas para todos nós que somos filhos de Abraão por meio da fé no Filho de Deus Jesus Cristo.

Cada um de nós pode ser tão abençoado quanto Abraão foi, se formos tão fiéis e obedientes quanto ele foi.

Em nosso ministério, meu marido e eu temos uma vida fabulosa. Deus é tão bom conosco! Muitas vezes as coisas são tão maravilhosas para nós que me sinto como uma princesa de um conto de fadas. Fico impressionada com o que Deus fez enquanto penso comigo mesma: *Aqui estou eu, viajando pelo mundo inteiro, as pessoas vêm para me ouvir falar, estou no rádio e na televisão, e Deus está abrindo portas para mim onde quer que eu vá — sou tão abençoada!*

Deus também vai abençoar você — se você andar nos Seus caminhos e confiar Nele para ser a sua recompensa, a sua grande retribuição, o seu vingador. Antes das bênçãos chegarem, tive de aprender a abrir mão e deixar Deus cuidar das circunstâncias.

Em Gênesis 12:3, como parte da aliança que fez com Abraão, Deus disse a Abraão que se ele lhe obedecesse, Deus abençoaria aqueles que o abençoassem e amaldiçoaria aqueles que o amaldiçoassem.

Se você parar de ficar irado com todas as coisas que lhe aconteceram, e desistir de tentar se vingar de todos aqueles que lhe fizeram mal, o Deus da justiça compensará tudo e acertará tudo!

Durante anos vivi lamentando meu passado e todas as coisas injustas que me haviam sido feitas ao longo da vida. Durante anos, eu perguntava a Deus: "Por que eu, Senhor? Por que eu?". Estava me deixando louca com essa pergunta cheia de autopiedade.

Finalmente o Senhor falou comigo e disse: "Joyce, você pode ser uma pessoa cheia de pena de si mesma, ou uma pessoa poderosa. Qual das duas você quer ser?".

Todos nós manifestamos o que aconteceu conosco em nossa vida. Nossas experiências passadas são a causa de muitas das nossas atitudes e comportamentos negativos. Mas embora essa possa ser a razão para *sermos* do jeito que somos, não é motivo para permanecermos assim.

Deus está dizendo a cada um de nós hoje: "Se você confiar em Mim o suficiente para me entregar o seu passado e me deixar cuidar dele, vou compensar você por tudo. Pare de tentar fazer isso sozinho; você só está piorando as coisas!".

Uma parte importante ao deixarmos as coisas nas mãos de Deus envolve o perdão, o que discutiremos em maiores detalhes mais adiante.

Um homem me disse certa vez: "Trabalho em um centro de aconselhamento, e o problema número 1 das pessoas que aconselhamos é a falta de perdão".

Com base em minha vida e ministério, sei que isso é verdade. Embora tenhamos ouvido muitas mensagens sobre o tema do perdão, ainda temos de aprender a lidar com ele. De outro modo, a balança da justiça nunca ficará equilibrada em nossa vida, e nunca experimentaremos a vida plena e abundante que Deus quer nos conceder.

Se você aprender a confiar todo seu passado ao Senhor, Ele promete retribuir aqueles que lhe causaram sofrimento (embora a maneira de Deus retribuir a eles seja diferente da maneira que imaginamos) e recompensar você duplamente pelos sofrimentos que passou. Não vale a pena abrir mão de todas as mágoas passadas por esse tipo de recompensa e restituição?

OS DOIS CAMINHOS

> Entrem pela porta estreita, pois larga é a porta e amplo o caminho que leva à perdição, e são muitos os que entram por ela. Como é estreita a porta, e apertado o caminho que leva à vida! São poucos os que a encontram.
>
> MATEUS 7:13-14

Vimos que Jesus disse: "Eu sou o caminho". Aqui nesta passagem, Ele fala de dois caminhos diferentes: o caminho amplo que leva à perdição e o caminho apertado que leva à vida.

Quando estava meditando nessa passagem, o Senhor trouxe vida a ela dizendo: "Joyce, no caminho amplo há espaço para todo tipo de coisas carnais como a amargura, a falta de perdão, o ressentimento e a vingança. Mas no caminho apertado só há espaço para o Espírito".

Na carne, é fácil tomar o caminho amplo, mas o resultado final é a destruição. É muito mais difícil tomar o caminho apertado que leva à vida. As emoções nos impulsionam a tomar o caminho mais fácil, a fazer o que nos parece bom no momento. A sabedoria nos impulsiona a tomar o caminho difícil que leva à vida.

A questão é: qual deles iremos escolher?

DEUS QUER SER BOM PARA VOCÊ!

> Contudo, o Senhor espera o momento de ser bondoso com vocês; ele ainda se levantará para mostrar-lhes compaixão. Pois o Senhor é Deus de justiça. Como são felizes todos os que nele esperam!
>
> Isaías 30:18

Observe novamente que Deus é um Deus de justiça! Ele aguarda, espera e anseia por fazer a coisa certa! Hebreus 6:10 nos diz: "Deus não é injusto; ele não se esquecerá do trabalho de vocês e do amor que demonstraram por Ele...". É por isso que todos nós que esperamos ardentemente por Ele somos abençoados.

Deus está no céu esperando para ser bom com você e comigo mim. Ele é um Deus de misericórdia e justiça, e não de ira e punição. Ele quer equilibrar a balança da nossa vida, a fim de nos compensar por todas as mágoas e feridas que sofremos — independentemente de quais sejam elas.

Seja qual for a sua situação presente ou a sua experiência passada, Deus quer ser bom com você! Ele tem um bom plano para sua vida.

CONTINUE CAMINHANDO!

> Quer você se volte para a direita quer para a esquerda, uma voz atrás de você lhe dirá: "Este é o caminho; siga-o".
>
> Isaías 30:21

Independentemente do que tenha acontecido a você ao longo da vida, ainda que você tenha sido abandonado pelo seu cônjuge ou sofrido abuso por seus pais ou tenha sido magoado por seus filhos ou por outras pessoas, se continuar nesse caminho estreito e deixar todo o excesso de bagagem de fora, mais cedo ou mais tarde você encontrará a paz, a alegria e a realização que procura.

Jesus é o Caminho, e Ele nos mostrou o caminho onde devemos andar. O Senhor enviou sobre nós o Seu Espírito Santo para nos conduzir e guiar no caminho que devemos seguir: o caminho estreito que leva à vida e não o caminho amplo que leva à perdição.

Precisamos continuar andando nos caminhos do Senhor: "E não nos cansemos de fazer o bem, pois no tempo próprio colheremos, se não desanimarmos" (Gálatas 6:9). A Bíblia não promete que quando fazemos o que é certo, colheremos a recompensa imediatamente. Mas ela nos assegura que se continuarmos a fazer o que é certo, finalmente seremos recompensados.

Deus diz: "Enquanto a terra durar, haverá plantio e colheita" (Gênesis 8:22, paráfrase da autora). Poderíamos ler assim: "Enquanto a terra durar, haverá SEMENTE, TEMPO E COLHEITA". Precisamos ser pacientes como o agricultor. Ele planta a semente e aguarda *com expectativa* a colheita. Ele aguarda ansiosamente e fala sobre ela.

Se continuar a andar no caminho que Deus prescreveu para você na Sua Palavra e pelo Seu Espírito — tanto nesta vida quanto na eternidade — você desfrutará a recompensa por *tudo* que sofreu.

Então, continue seguindo o caminho estreito que leva à vida, em toda sua plenitude e abundância!

Capítulo 3

A Cura das Emoções Feridas, Parte 2

Neste capítulo veremos os passos por meio dos quais o Espírito Santo nos dirige na cura das emoções feridas. Tornei-me ciente desses passos quando o Espírito Santo levou-me a passar por eles para curar-me das emoções feridas em decorrência dos anos de abuso sofridos em minha infância.

Acredito que eles o ajudarão também à medida que você buscar encontrar a vitória sobre seus problemas emocionais e a restauração para seu espírito quebrantado.

PASSO 1: ENCARE A VERDADE

> Disse Jesus aos judeus que haviam crido nele: Se vocês permanecerem firmes na minha palavra, verdadeiramente serão meus discípulos. E conhecerão a verdade, e a verdade os libertará.
>
> João 8:31-32

Se deseja receber a cura emocional, uma das primeiras coisas que você precisa aprender a fazer é encarar a verdade. Você não pode ser liberto enquanto viver negando a realidade. Também não pode fingir que certas coisas negativas não aconteceram com você, ou que você não foi influenciado por elas ou reagiu em resposta a elas.

Muitas vezes, as pessoas que sofreram abuso ou alguma outra tragédia em suas vidas tentam agir como se isso nunca tivesse acontecido. Por exemplo, suponhamos que uma jovem faça um aborto ou tenha um filho fora do casamento e depois o entregue para a adoção. Essa experiência traumática pode fazer com que posteriormente ela fique emocionalmente ferida em relação à vida, porque ela desenvolve opiniões e atitudes acerca de si mesma com base em suas ações no passado.

Da mesma maneira, uma pessoa que sofreu abuso verbal, físico ou sexual pode desenvolver uma autoimagem negativa sob o conceito errôneo de que, se foi maltratada, deveria haver algo de errado com ela para atrair esse tipo de coisa sobre si mesma, ou que provavelmente deve ter merecido aquilo.

Tanto por experiência própria quanto pelas experiências que vivenciei nos meus anos de ministério auxiliando a outros, cheguei à conclusão de que nós, seres humanos, somos especialistas maravilhosos em construir muralhas e em empurrar coisas para cantos escuros, fingindo que elas nunca aconteceram.

Durante os dezoito anos de minha vida que passei em um ambiente de abuso, eu não tinha outra opção além de encarar o fato do que estava acontecendo comigo enquanto aquilo estava realmente acontecendo. Mas assim que saí daquela situação, passei a agir como se não houvesse nada de errado. Na verdade, vivia duas vidas separadas ao mesmo tempo. Eu nunca dizia a ninguém o que estava se passando na minha vida privada.

Por que não queremos trazer coisas como essas à luz? Temos medo do que as pessoas vão pensar. Temos medo de ser rejeitados, ou de ser incompreendidos, de perder o amor daqueles com quem nos importamos e que podem ter uma opinião diferente sobre nós se eles realmente conhecessem tudo a nosso respeito.

É tão maravilhoso ter Jesus como amigo, porque não precisamos esconder nada Dele. Afinal, Ele já sabe tudo a nosso respeito de qualquer maneira. Podemos sempre ir até Ele e saber que seremos amados e aceitos independentemente do que sofremos ou de como reagimos a isso.

Precisamos nos lembrar de que Deus sabe de *tudo*. A Bíblia diz que Ele conhece até as palavras da nossa boca que ainda não pronunciamos (Salmo 139:1-4).

Um dia, nos primeiros momentos da minha caminhada com o Senhor, antes que eu aprendesse que não podia esconder nada Dele, enquanto estava orando comecei a refletir se eu deveria dizer a Ele algo que estava em meu coração.

Enquanto debatia comigo mesma sobre falar ou não, Deus falou comigo e disse: "Joyce, Eu já sei tudo a respeito disto".

"Bem, então, por que eu tenho de dizê-lo ao Senhor?" perguntei.

Você sabe por que temos de dizer ao Senhor o que está acontecendo no nosso coração e na nossa vida? Ele quer que coloquemos essas coisas para fora! Isso faz parte do processo de cura.

Se você está tendo problemas na sua vida neste instante, sejam quais forem, encare a verdade e depois reconheça isso diante do Senhor em oração. Peça ao Espírito Santo para curá-lo, e Ele começará a direcionar e orientar você no processo de cura.

PASSO 2: CONFESSE SEUS ERROS

> Portanto, confessem os seus pecados uns aos outros e orem uns pelos outros para serem curados. A oração de um justo é poderosa e eficaz.
>
> Tiago 5:16

Creio que haverá um momento para finalmente se compartilhar com alguém aquilo que aconteceu em nossa vida. Existe algo em verbalizarmos essas coisas diante de outra pessoa que faz maravilhas por nós.

Contudo, use a sabedoria. Seja cheio do Espírito. Escolha alguém em quem você sabe que pode confiar. Esteja certo de que ao compartilhar seu fardo com alguém, você não o colocará sobre os ombros dessa pessoa. Também não se lance em uma "expedição de escavação", tentando cavar velhas mágoas há muito tempo enterradas e esquecidas.

Por exemplo, se você sofreu abuso por parte de seu avô há quarenta anos, e agora sua avó tem oitenta e cinco anos, não decida procurá-la para contar-lhe o que aconteceu naquela época. Isso não seria sábio. Poderia ajudar você a se livrar do peso — mas o colocaria sobre os ombros de sua avó.

É muito importante usar de sabedoria e equilíbrio nessas questões. Se você vai compartilhar seus problemas com alguém, deixe que Deus lhe mostre em quem confiar como confidente. Escolha um crente maduro, alguém que não ficará sobrecarregado ou prejudicado diante das questões que você irá compartilhar, nem usará isso para feri-lo ou para fazer com que você se sinta mal consigo mesmo.

Muitas vezes, ocorre uma liberação em nós quando finalmente contamos a alguém essas coisas que haviam ficado amontoadas no fundo da nossa vida por anos, principalmente quando descobrimos que a pessoa com quem compartilhamos essas questões nos ama e nos aceita apesar delas.

Quando finalmente desenvolvi a coragem para compartilhar com alguém o que havia acontecido comigo no passado, a verdade é que eu tremia violentamente toda vez que tentava tocar no assunto. Sentia-me como se estivesse tendo um calafrio violento. Era uma reação emocional às coisas que eu havia mantido enterradas dentro de mim por tanto tempo. Eu estava tremendo de medo.

Agora, quando falo sobre meu passado, é como se estivesse falando sobre os problemas de outra pessoa. O passado não me incomoda mais porque fui curada e restaurada. Sei que sou uma nova criatura em Cristo (2 Coríntios 5:17).

Muitas vezes, nas reuniões que fazemos, as pessoas me procuram para compartilhar coisas que lhes aconteceram há vinte, trinta, ou até quarenta ou cinquenta anos. Elas costumam chorar e soluçar enquanto a terrível verdade vem à tona. Percebo que muitas delas experimentam uma libertação total quando percebem que podem falar sobre essas coisas dolorosas e ainda assim serem aceitas.

Sempre digo a elas: "Deus ama e aceita você, e eu amo e aceito você também. O que aconteceu com você no passado não vai fazer nenhuma diferença para os seus amigos cristãos".

PASSO 3: ADMITA A VERDADE PARA SI MESMO

> Sei que desejas a verdade no íntimo; e no coração me ensinas a sabedoria.
>
> SALMO 51:6

Deus quer que encaremos a verdade no nosso íntimo, e depois que a confessemos da maneira apropriada e para pessoa certa. Às vezes, a pessoa que precisa mais ouvi-la somos nós mesmos.

Quando as pessoas me procuram em busca de ajuda nessa área, costumo dizer a elas: "Vá e olhe-se no espelho, e confesse o problema a si mesmo".

Talvez seu problema seja o fato de que seus pais não o amavam quando você era criança.

Talvez você esteja se perguntando: "Como eu poderia verbalizar ou dizer isto a qualquer outra pessoa?". Você pode fazer isso com a ajuda do Espírito Santo dentro de você.

Acredito que, para avançarmos, temos de encarar os fatos. Se é verdade que seus pais não o amavam, você precisa encarar essa realidade de uma vez por todas. Você precisa se olhar no espelho e dizer: "Meus pais nunca me amaram. Na verdade, talvez eles nunca me amem".

Algumas pessoas passam a vida inteira tentando conseguir alguma coisa que nunca terão. Se você permitiu que o fato de não ter sido amado arruinasse sua vida até agora, não permita que arruíne o resto de sua vida.

Faça o que Davi fez no Salmo 27:10. Confesse a si mesmo: "Ainda que me abandonem pai e mãe, o Senhor me acolherá". Seja qual for o problema que está incomodando você, encare-o, considere a hipótese de confessá-lo a um confidente de confiança, e depois o admita para si mesmo no seu íntimo.

Ouvi falar sobre um médico que, em intervalos regulares, abandonava a prática da medicina e ficava pelas ruas, vagando como um mendigo. Quando alguém, depois de muitos anos, finalmente chegou à raiz do problema do médico, descobriu que ele havia passado toda a vida buscando palavras de aprovação e aceitação por parte de seu pai, que sempre o havia rejeitado.

Ele havia trabalhado arduamente para se tornar médico, pensando que isso conquistaria a aprovação e a aceitação que buscava. Quando isso não aconteceu, o médico passou a trabalhar ainda mais para construir uma carreira de muito sucesso, pensando que com certeza assim seu pai teria orgulho dele. Ele procurava seu pai a fim de compartilhar com ele suas conquistas e realizações, e tudo que recebia era mais rejeição.

Quando nos esforçamos muito e fracassamos, costumamos passar por períodos de esgotamento físico, mental e emocional. Era justamente nesses períodos que o médico se revoltava emocionalmente e abandonava sua carreira médica de sucesso para se tornar um mendigo sem teto.

Quando encarou a verdade de que seu pai tinha um problema e era incapaz de demonstrar amor, o médico teve sua saúde mental e emocional restaurada.

PASSO 4: RECEBA O PERDÃO E ESQUEÇA SEU PECADO

> ... Porque eu lhes perdoarei a maldade e não me lembrarei mais dos seus pecados.
>
> JEREMIAS 31:34

Não importa qual seja o seu problema ou o quanto você se sente mal consigo mesmo por causa dele, Deus ama você. Em Jesus Cristo Ele lhe deu uma nova vida. Ele lhe deu uma nova família e novos amigos para amá-lo, aceitá-lo, apreciá-lo e apoiá-lo. Está tudo bem com sua vida e você será bem-sucedido por causa Daquele que vive dentro de você e se importa com sua condição.

Talvez você tenha de se olhar no espelho e confessar: "Fiz um aborto. Fiz isso, Senhor, e é espantoso entender que posso me colocar aqui e olhar diretamente dentro dos meus olhos. Mas posso fazer isso porque sei que, embora tenha feito esta coisa terrível que é tão errada, Tu colocaste os meus pecados tão longe de mim quanto o Oriente está distante do Ocidente, e não te lembras mais deles!".

Não importa o que possamos ter feito, precisamos ter uma revelação mais profunda do que Deus quer dizer quando diz: "Não me lembrarei mais dos seus pecados".

A partir do momento em que confessamos nossos pecados e pedimos perdão a Deus, se continuarmos arrastando esses pecados de volta para Ele todas as vezes que o buscarmos em oração, estaremos fazendo-o lembrar alguma coisa que Ele prometeu esquecer, algo que retirou de nós para tão longe quanto o Oriente está distante do Ocidente (Salmo 103:12).

Se você já confessou os seus pecados a Deus, e pediu a Deus para perdoá-lo por eles, Ele não apenas os *perdoou*, mas realmente os *esqueceu*. Você precisa fazer o mesmo. Pare de se punir por alguma coisa que não existe mais.

PASSO 5: RECONHEÇA A SI MESMO COMO UMA NOVA CRIATURA

> Portanto, se alguém está em Cristo, é nova criação. As coisas antigas já passaram; eis que surgiram coisas novas!
>
> 2 Coríntios 5:17

No passado, fiz muitas coisas das quais não me orgulho. Por exemplo, quando eu era criança, tinha o hábito de roubar. Roubava qualquer coisa na qual pudesse colocar as mãos. Isso é terrível, mas é claro que não roubo mais e, portanto, não fico me torturando pelo que eu costumava fazer quando criança. Acredito que roubava coisas porque estava sofrendo abuso, e roubar fazia com que eu sentisse que estava no controle de alguma coisa em minha vida, em vez de estar sempre sendo controlada por tudo e por todos.

Também houve um tempo em minha vida em que eu trabalhei como atendente em um bar. Mas agora sirvo o Vinho Novo, então, não me preocupo com o que costumava fazer no passado.

Como você pode ver, é um tremendo testemunho poder admitir o que fomos. Assim podemos testemunhar acerca do fato de que o nosso velho homem — a velha criatura que fomos — morreu, e que agora somos pessoas totalmente novas em Cristo.

A Bíblia diz que o nosso velho homem morreu e foi enterrado, e depois ressuscitou para uma nova vida, de modo que você e eu agora estamos sentados nos lugares celestiais em Cristo Jesus (Efésios 2:5-6).

Ora, então por que eu teria vergonha de admitir algo que aconteceu na minha velha vida? Não tenho nenhum problema em falar sobre uma pessoa morta. Se você e eu somos novas criaturas em Cristo Jesus e as coisas velhas já passaram, precisamos nos esquecer delas!

Não importa o que aconteceu com você no passado, ou o que lhe fizeram, você deve se sentir livre para olhar para qualquer pessoa e dizer: "Eu era assim e fiz isto, mas graças a Deus, agora sou uma nova criatura em Cristo Jesus. Já não sou mais assim! Você não acreditaria no que Deus fez em minha vida!".

Lembre-se do que eu disse anteriormente: "Trazer as coisas à luz faz com que elas percam o poder sobre nós".

PASSO 6: ASSUMA SUA RESPONSABILIDADE

> Se confessarmos os nossos pecados, ele é fiel e justo para perdoar os nossos pecados e nos purificar de toda injustiça. Se afirmarmos que não temos cometido pecado, fazemos de Deus um mentiroso, e a sua palavra não está em nós.
>
> 1 João 1:9-10

Algumas pessoas estão presas na armadilha da negação da realidade, com medo do que poderia acontecer se os outros descobrissem a verdade a seu respeito. Mas enquanto negarem o passado, elas nunca serão libertas dele.

Ninguém pode ser liberto de um problema até que esteja disposto a admitir que tem um problema. Um alcoólatra, um viciado em drogas ou qualquer pessoa que tenha perdido o controle de sua vida está condenado a sofrer até ser capaz de dizer: "Tenho um problema, e preciso de ajuda".

Em vez de enfrentar a responsabilidade pelos nossos próprios problemas, geralmente queremos culpar os outros. A recusa em encarar e aceitar a responsabilidade pessoal é uma atitude infantil.

Aprendi muito com nosso filho mais novo, Danny. Ele é muito doce, e sou feliz por Deus tê-lo dado a nós. Ele me mantém jovem e alerta. Embora agora Danny tenha nascido de novo e seja uma pessoa cheia do Espírito, quando era criança ele andava totalmente na carne. Uma prova disso é o fato de que ele nunca queria assumir a responsabilidade por nada que fazia de errado. Não importa o que acontecesse, nunca era culpa do Danny.

Um dia, eu estava em nossa camionete com ele, e olhei para trás para ver como ele estava. A parte de trás do veículo estava totalmente cheia de lixo: sacos e migalhas de batatas chips, uma lata de Coca-Cola amassada, e coisas desse tipo. Eu disse: "Danny, por Deus! Limpe essa sujeira aí atrás!".

"Não é culpa minha!", ele gritou.

"De quem é a culpa então? Eu não estou aí atrás!".

"Bem, foi o papai que me deu a lata e as batatas!", ele explicou.

Embora ele tivesse levado tudo o que foi dado a ele para a parte de trás e espalhado por todos os lados, não era culpa dele. Era culpa do pai por ter dado aquelas coisas a ele. Ele tinha essa capacidade de tirar a responsabilidade de si mesmo e de colocá-la em outra pessoa.

Todos nós fazemos exatamente o mesmo em nossa vida!

Há algum tempo, eu havia ganhado uns quilos, mas não havia percebido. Quando me vestia, reclamava com meu marido da mulher que me ajudava lavando nossa roupa.

"O que ela está fazendo com minhas roupas?", eu perguntava. "Ela as está destruindo fazendo com que elas encolham! Eu disse a ela para não colocá-las na secadora, mas que mandasse para a tinturaria!".

Se fosse uma peça de roupa que tivesse sido mandada para a tinturaria, eu dizia: "O que aquelas pessoas estão fazendo com minhas roupas, encolhendo-as assim!?". Eu estava colocando a culpa pelas minhas roupas não estarem entrando em mim em outra pessoa!

Continuei agindo assim até que um dia subi em uma balança e vi que meu peso havia aumentado cerca de três quilos. De repente, a ficha caiu. Não eram minhas roupas que estavam ficando menores, era eu que estava ficando maior!

Tive de dizer a mim mesma: "Joyce, você ganhou peso, e isso aconteceu porque você está comendo demais!".

Assim como eu tive de encarar a verdade e aceitar a responsabilidade por meus próprios atos nessa situação, cada um de nós precisa enfrentar a verdade sobre nós mesmos e assumir a responsabilidade pelos nossos problemas e pela solução deles.

Embora nossos problemas possam ter sido lançados sobre nós por causa de algo que fizeram conosco contra nossa vontade, não temos desculpas por permitir que eles persistam ou até cresçam e assumam o controle de toda nossa vida. Nossas experiências passadas podem ter nos deixado do jeito que somos, mas não temos de permanecer assim. Podemos tomar a iniciativa e começar a fazer algo para mudar as coisas.

PASSO 7: SIGA O ESPÍRITO DA VERDADE

> Mas quando o Espírito da verdade vier, ele os guiará a toda a verdade...
>
> João 16:13

Como vimos, precisamos encarar a verdade e reconhecer a situação em que nos encontramos a fim de sermos curados. Precisamos parar de tentar culpar outra pessoa por tudo que está errado conosco. Tentar pôr a culpa pela maneira como estamos agora naquilo que nos aconteceu anteriormente na vida não é sequer saudável.

Eu costumava ter dificuldades para me relacionar com as pessoas, e tinha certeza de que era por causa da maneira como havia sido tratada nos meus anos de juventude. Porém, quando comecei a pedir ao Senhor para me curar, Ele começou a me revelar a verdade sobre mim mesma e sobre a minha situação.

Uma das coisas que Ele me revelou foi que toda vez que o Espírito Santo tentava me direcionar a alguma verdade desagradável a respeito de mim mesma, minha reação imediata era sempre dizer: *"Sim, mas..."*.

O Senhor me mostrou que uma desculpa apenas encobre a raiz do problema, impedindo que ele seja exposto e fazendo com que a pessoa nunca possa ser liberta.

Quando alguém lhe corrige, você faz o que eu costumava fazer e dá uma desculpa, ou encara a verdade e admite que está errado? Admitir que estamos errados é uma das coisas mais difíceis que temos de fazer na vida.

Certa noite, meu marido chegou tarde em casa depois de jogar golfe, depois de ter prometido chegar a tempo para o jantar. Quando ele chegou, eu já havia preparado o meu sermão detalhadamente. Ataquei-o imediatamente, dizendo que se ele iria se atrasar, deveria telefonar e me avisar. Eu estava realmente me preparando para descarregar minha raiva sobre Dave quando ele olhou para mim e disse: "Você está absolutamente certa". Aquilo me desarmou completamente. Então ele continuou e disse: "Vou orar e pedir ao Senhor para me ajudar a não fazer isso de novo". Não havia nada mais que eu pudesse dizer. O fato de Dave dizer a verdade impediu uma discussão maior.

No entanto, muitas vezes, quando Deus tenta nos dizer alguma coisa que estamos fazendo de errado, achamos tão difícil dizer simplesmente: "Senhor, Tu estás absolutamente certo. Não tenho desculpas. Peço que me perdoes e que me ajudes a superar este erro".

Acredito que esse tipo de honestidade no nosso relacionamento com Deus e com as outras pessoas impede que o diabo aja desenfreadamente em nossa vida. Não acredito que Satanás saiba o que fazer com esse tipo de verdade, assim como eu não soube quando Dave a utilizou ao falar comigo. A verdade põe fim ao reinado do diabo.

CURA INTERIOR X CURA EMOCIONAL

> E eu pedirei ao Pai, e ele lhes dará outro Conselheiro para estar com vocês para sempre, o Espírito da verdade. O mundo não pode recebê-lo, porque não o vê nem o conhece. Mas vocês o conhecem, pois ele vive com vocês e estará em vocês.
>
> João 14:16-17

Em João 16:13, Jesus chamou o Espírito Santo de "o Espírito da Verdade". Na passagem anterior, Ele nos diz que esse Espírito foi enviado para viver dentro de cada um de nós. Se o Espírito da Verdade está em nós, qual é a Sua função primordial? De acordo com Jesus, é nos guiar a toda a verdade.

Sinto que preciso preveni-lo a respeito de um ensinamento difundido nas igrejas que se chama "cura interior". Sou totalmente a favor da cura interior, mas prefiro chamá-la de "cura emocional", a fim de distingui-la do que está sendo ensinado e praticado em alguns círculos cristãos atualmente.

Acredito que o motivo por trás da mensagem da cura interior está correto. Aqueles que o ensinam e praticam querem apenas ajudar as pessoas, mas acredito sinceramente que algumas das suas técnicas são perigosas.

A cura interior é um método utilizado para curar as feridas do passado. Ele geralmente é bastante eficaz, mas precisamos entender que até os métodos que não são divinos às vezes funcionam.

Deixe-me dar-lhe um exemplo. Uma amiga minha estava envolvida com meditação transcendental quando foi salva. Ela procurou seu pastor para perguntar a ele sobre isso, e ele disse que não tinha nenhum problema com aquilo, e acrescentou: "Se funcionar, me avise".

Essa mulher estava em busca de paz, por isso estava aberta a qualquer coisa que fosse eficaz para ajudá-la a encontrar essa paz. À medida que ela se envolveu com esse movimento, aprendeu que ele envolve meditação no estilo oriental e a repetição de um *mantra,* que o dicionário Webster define como "uma fórmula mística de encantamento ou invocação (como no Hinduísmo)".

Enquanto ela e os outros participantes estavam sentados meditando, repetindo essa invocação ou encantamento, começaram a entrar em um estado de transe. Eles deveriam progredir no transe até o ponto em que seres místicos ou "espíritos guias" apareceriam e começariam a dirigi-los e instruí-los.

Uma vez que ela agora era salva, minha amiga pensou que se esse método fosse espiritualmente saudável, ele continuaria sendo eficaz se ela substituísse o mantra pelo nome de Jesus. Então, ela deu continuidade ao seu estado de transe e começou a repetir o nome de Jesus. De repente, um espírito golpeou-a, fazendo com que ela fosse parar do outro lado da sala, e ela ficou sabendo naquele instante que alguma coisa estava muito errada! Ela rapidamente saiu desse movimento e voltou para a igreja cristã local. Ela estava sinceramente certa na sua busca por ajuda, mas sinceramente errada na escolha do método.

Outra amiga minha vivenciou algo do mesmo tipo quando fazia uma experiência com um método popular de controle da mente. Todos esses métodos supostamente de cura interior ou de iluminação interior estão fora da Igreja de Jesus Cristo e devem ser evitados. Talvez você pergunte: "Por quê? O que pode haver de errado em visualizar cura, consolo, perdão e restauração?".

Sim, realmente *parece* bom. Parece algo que se encaixaria dentro da esfera da Igreja. É por isso que tantas pessoas desesperadas estão se envolvendo com isso. Na verdade, elas não pararam para se perguntar: "Isso está em linha com as Escrituras?". O fato é que nenhum desses métodos ou sistemas pode ser encontrado em nenhum lugar na Palavra de Deus.

A principal coisa que vejo de errado nesses métodos é o papel central que a visualização ou a imaginação desempenham. Na qualidade de cristãos, Jesus deve sempre desempenhar o papel principal em tudo o que fazemos, e não figuras ocultistas e místicas cuja origem é a nossa imaginação.

Outra coisa que vejo de errado com esse tipo de cura interior é o fato de que é a pessoa e não o Espírito Santo que inicia o processo. Em alguns desses métodos, a pessoa deve entrar em um estado meditativo, esvaziar sua mente e começar a visualizar-se voltando no tempo até o momento em que suas emoções foram feridas.

Às vezes, essas regressões voltam até o útero ou até o momento do parto. É dito ao participante para reviver a cena em que foi ferido emocionalmente em sua mente, visualizando Jesus entrando e trazendo cura àquele evento traumático.

Em minha opinião, o único problema é que o Jesus que entra em cena nesses casos é apenas uma invenção da imaginação da pessoa e não o verdadeiro Jesus da Bíblia.

Recentemente, li a história de um homem que achava que Jesus estava aparecendo para ele. Ele teve três visões do que acreditava ser Jesus. A figura que via nessas visões era cercada por uma grande luz que gerava nele uma sensação temporária de paz e bem-estar. Então a figura começava a falar com ele e a lhe dar instruções e orientações.

Uma das coisas que aquele homem realmente foi *obrigado* a fazer foi ir até a praia e testemunhar para outros. A voz deixou claro que isso era algo que ele tinha de fazer, quer desejasse ou não — e imediatamente!

Se esse homem conhecesse a Palavra de Deus, teria percebido no mesmo instante que aquilo que ele estava encontrando não era Deus. Deus não obriga Seus filhos a fazerem qualquer coisa. Ele os direciona e orienta por meio do Seu Espírito Santo, mas é sempre de uma maneira mansa e suave. Não é exigido a ninguém que faça qualquer coisa por coação, como se sua salvação dependesse disso!

CURA OU ENGANO?

Recebi curas tremendas do Senhor Jesus Cristo. Mas para receber essas curas, não tive de passar por nenhum dos métodos ou técnicas prescritos e praticados pelo movimento popular de cura interior. Simplesmente permiti que o Espírito Santo me dirigisse e orientasse.

Se você orar e pedir a Deus para ajudá-lo a curar suas emoções, Ele mesmo direcionará e orientará você. Ele tem um plano individualizado para cada um de nós, um plano que estará sempre alinhado com as Escrituras.

Por exemplo, há alguns anos eu estava orando para que Deus curasse minha vida perturbada. Enquanto eu estava passando por esse período de oração, uma mulher foi à nossa igreja e contou seu testemunho. O histórico e a experiência dela eram quase idênticos aos meus. Meu marido reconheceu isso e me aconselhou a comprar o livro que ela havia escrito sobre o assunto.

Comprei o livro e comecei a lê-lo. Nele, a mulher, que hoje está no ministério, começou a relatar alguns dos acontecimentos que haviam ocorrido em sua vida. De repente, comecei a ter *flashbacks*. Percebi que era o Espírito Santo que estava trazendo aquelas cenas à minha memória para me ajudar a lidar com elas e a receber a cura.

É assim que a verdadeira cura emocional funciona. Ela é iniciada pelo Espírito Santo, e não por alguma coisa que é invocada pela pessoa que está buscando ajuda.

Se você precisa de cura emocional, não tente invocar alguma coisa que o faça se sentir melhor. Busque o Senhor e peça a Ele para orientá-lo e direcioná-lo por meio do Seu Espírito Santo nos caminhos que você deve seguir. Em seguida, esteja pronto para encarar o que quer que Ele queira que você confronte para operar sua restauração total.

Não permita que ninguém o influencie a voltar atrás e cavar coisas do seu passado que talvez você ainda não esteja preparado para encarar. Isso pode ter um efeito devastador!

Um dos aspectos maravilhosos do Espírito Santo é o fato de que Ele nos conduz um passo de cada vez. Ele sabe quando estamos prontos e podemos enfrentar certas coisas. Quando o próprio Deus nos coloca face a face com certas realidades duras em nossa vida, podemos ter a certeza de que é a hora certa para lidar com essas questões dolorosas.

Lembre, a revelação espiritual vem de Deus, e não do homem. Cuidado com os chamados "espíritos guias". Satanás tenta perverter a obra do Espírito Santo oferecendo imitações enganosas para afastar as pessoas dos verdadeiros encontros espirituais. Tome muito cuidado com quem e com o que você segue. Ore e peça ao Senhor para protegê-lo do engano.

Há muito "lixo" espiritual sendo oferecido hoje em dia, e grande parte desse lixo parece muito bom e muito agradável. Certifique-se de que o que você está seguindo está alinhado com a Palavra de Deus e é iniciado pelo Seu Espírito Santo. Quando abrir seu espírito para receber direção e orientação, certifique-se de que você o está abrindo para o Espírito de Deus, e não para um imitador.

ABRINDO-SE PARA DEUS

> Esta é a mensagem que dele ouvimos e transmitimos a vocês: Deus é luz; nele não há treva alguma. Se afirmarmos que temos comunhão com ele, mas andamos nas trevas, mentimos e não praticamos a verdade.
>
> I João 1: 5-6

Essa é uma passagem maravilhosa das Escrituras porque ela nos mostra que se assumirmos a responsabilidade por nós mesmos e pela nossa própria situação e não tentarmos culpar outra pessoa, este será o primeiro passo para recebermos a cura.

Frequentemente, as coisas que tentamos esconder enterrando-as no fundo de nós mesmos se transformam em trevas no nosso interior. Mas essa passagem nos diz que em Deus não há treva alguma. Então, quando permitirmos que Ele entre completamente no nosso coração e mente, não haverá trevas neles.

Fico tão feliz por Deus preencher cada pedacinho do meu coração, fazendo com que eu seja cheia com a Sua luz. Não há nenhum lugar no meu coração que eu saiba que esteja fechado para Ele e para a luz que vem com a Sua presença.

Em geral, um dos sinais de que estamos andando na luz do Evangelho é o fato de termos um bom relacionamento com todos aqueles com quem entramos em contato na nossa vida diária — inclusive nosso cônjuge e nossos filhos.

Posso dizer sinceramente que neste momento não sei de nenhuma pessoa em minha vida com quem tenha algum problema importante. E não é porque todas *as pessoas* mudaram. O motivo é porque *eu* permiti que o Senhor entrasse nesses lugares escuros do meu coração e os enchesse com a Sua maravilhosa luz. Eu me abri para a luz do Espírito Santo de Deus, que sonda e purifica. O resultado é que embora eu costumasse viver e andar em trevas, em medo e em sofrimento, agora vivo e ando na luz, na alegria e na paz.

Quando eu era uma pessoa por dentro e outra pessoa por fora, tinha de usar máscaras e ser falsa. Era obrigada a vestir uma fachada e jogar com as pessoas. Sou muito feliz porque agora posso me colocar diante de Deus e da minha família e de todos os demais e estar em paz comigo mesma e com os outros.

Já não tenho mais de viver com medo do que qualquer pessoa possa pensar a meu respeito, porque abri meu coração para o Espírito Santo de Deus, e Ele iluminou os lugares escuros dentro de mim para que eu possa viver livre!

Você pode dizer o mesmo se abrir seu coração para Deus e permitir que Ele preencha cada parte de você com o Seu Espírito que dá vida.

O NARIZ SABE!

> Se, porém, andamos na luz, como ele está na luz, temos comunhão uns com os outros, e o sangue de Jesus, seu Filho, nos purifica de todo pecado.
>
> 1 João 1:7

Gosto da última parte desse versículo que fala do sangue de Jesus que nos purifica do pecado, em todas as suas formas e manifestações. Deixe-me dar-lhe um exemplo de como isso funciona na nossa vida diária.

Se existe alguma coisa podre na sua geladeira, você saberá disso toda vez que abrir a porta, porque vai sentir o cheiro.Você talvez não saiba o que é ou onde exatamente está o alimento estragado, mas pode ter certeza de que está ali dentro em algum lugar.

Acredito que nossa vida é assim. Se existe alguma coisa podre dentro de nós, aqueles que entrarem em contato conosco perceberão, quer saibam ou não o que é ou porque está ali. Eles vão sentir o "cheiro", ou perceber isso.

Em 2 Coríntios 2:15, o apóstolo Paulo nos diz que como crentes "... somos o aroma de Cristo entre os que estão sendo salvos e os que estão perecendo".

Infelizmente, isso também funciona da maneira oposta. Quando existe alguma coisa dentro de nós que ficou guardada e apodreceu ou estragou, ela exala um aroma totalmente diferente, detectável por todos.

É por isso que precisamos nos abrir e permitir que o Espírito Santo entre, limpe o nosso coração e remova o que quer que esteja fazendo com que exalemos esse mau cheiro.

Quando nos abrimos para o Senhor e permitimos que Ele comece a nos limpar e curar de dentro para fora, descobrimos que estamos começando a ter um relacionamento cada vez melhor com aqueles que nos cercam. Isso não vai acontecer da noite para o dia, porque é um processo. Mas começará a ocorrer, um passo de cada vez.

CHEGANDO À RAIZ DO PROBLEMA

> Se afirmarmos que estamos sem pecado, enganamo-nos a nós mesmos, e a verdade não está em nós. Se confessarmos os nossos pecados, ele é fiel e justo para perdoar os nossos pecados e nos purificar de toda injustiça.
>
> 1 João 1:8-9

Nesta passagem, vemos que nunca poderemos esperar encontrar uma solução para nosso problema com o pecado até que estejamos dispostos a admitir que temos um problema com isso, e depois permitirmos que o Senhor nos purifique. Parte desse processo envolve fazer uma análise espiritual de nós mesmos para chegarmos à raiz que é a causa do pecado.

Quando você estiver tendo problemas emocionais, uma das coisas que eu o encorajo a fazer é entender que o problema não são as emoções que você está sentindo — elas são apenas as manifestações desse problema. O que você precisa fazer não é apenas lidar com os sintomas — suas emoções —, mas chegar à raiz do problema, seja o que for que esteja fazendo com que você se sinta como está se sentindo.

Geralmente prestamos atenção demais nos nossos sentimentos. Dizemos coisas do tipo: "*Sinto* que ninguém se importa comigo". "*Sinto* que os outros não me amam ou não me entendem". "*Sinto* que as pessoas não prestam atenção suficiente em mim".

Esses pensamentos e afirmações são a evidência de que estamos sendo influenciados pelo que percebemos com as nossas emoções e não pelo que realmente está acontecendo em nossa vida.

Deixe-me dar-lhe um exemplo. Digamos que uma mulher sinta que seu marido não presta muita atenção nela. Então ela ora e pede a Deus que faça seu marido ser mais atencioso. Quando sua oração não é respondida, ela decide fazer isso acontecer por conta própria. Ela se queixa e reclama com o marido: "Você não está prestando atenção suficiente em mim; você não se importa nem um pouco comigo ou com os meus sentimentos".

A verdade é que independentemente de quanta atenção seu marido ou qualquer outra pessoa lhe dê, ela nunca ficará satisfeita. Nunca será suficiente. Por quê? Porque ela está tentando conseguir de outras pessoas o que só pode vir de Deus. Ela está tentando construir a sua autoimagem com base na avaliação e na opinião dos outros e não no seu próprio valor aos olhos do Senhor.

Pode parecer que o problema reside no fato de que ela não é amada e apreciada, mas a raiz do problema é o fato de que ela se sente assim porque quando criança passou "fome emocional". O resultado é que agora que é adulta, ela exige mais dos outros do que eles estão preparados ou são capazes de dar. Então, sufoca todos os que se relacionam com ela. Se não perceber o que está acontecendo e fizer algo a respeito disso, ela terminará não tendo mais nenhum relacionamento.

A não ser que essa mulher chegue à raiz do problema e o resolva, passará toda a vida culpando os outros, afirmando que seu problema é culpa deles porque eles não são sensíveis com ela nem a apreciam. Ela está ouvindo seus sentimentos e emoções em vez de chegar à raiz do problema e descobrir o que realmente está fazendo com que se sinta assim.

Eis outro exemplo da minha própria vida. Quando eu estava tendo muitos problemas emocionais, costumava explodir e ter um ataque de nervos se as coisas não acontecessem exatamente como eu queria. Podia estar trabalhando na cozinha na mais perfeita paz e calma, mas se meus filhos entrassem pela porta dos fundos e deixassem que ela batesse, "BUM!", eu me tornava uma pessoa totalmente diferente. Ficava irritada e saltava sobre eles.

Depois eu buscava o Senhor em oração e dizia: "Deus, o que há de errado comigo?". Como tinha certeza de que não havia nada de errado comigo, o que eu realmente estava dizendo era: "O que está errado com essa gente?". Estava completamente convencida de que se os outros não fizessem o que faziam, eu não reagiria daquela forma.

Mas a verdade é que a culpada era eu.

Se um de meus filhos entrasse pela porta, tropeçasse na soleira e caísse, em vez de dizer: "Ah, querido, você está bem?" eu o repreendia dizendo: "Qual é o seu problema? Você não pode sequer entrar em casa sem fazer bagunça? Por Deus, será que tenho de ensinar você a andar?".

Estava constantemente colocando a culpa pelos meus sentimentos em alguém ou em alguma coisa. Mas um dia, enquanto orava e falava: "Deus, qual é o meu problema?", Ele me mostrou qual era — e foi uma revelação transformadora para mim.

O Senhor falou comigo e disse: "Você passa a vida inteira fazendo todas as coisas que acha que deve fazer para ser uma boa esposa, uma boa mãe e uma boa cristã, mas a verdade é que dentro de você, você se sente condenada e culpada por tudo — desde não orar o suficiente até se sentir responsável pelas coisas que lhe aconteceram no passado".

Então Ele prosseguiu dizendo: "Esses sentimentos pressionam você, e essa pressão se acumula em seu interior. Como está em casa sozinha a maior parte do tempo, você não tem ninguém com quem desabafar suas emoções, então se transforma em uma panela de pressão. A primeira vez que acontece alguma coisa que sobrecarrega sua mente, você explode".

Talvez seja isso que está acontecendo com você. Assim como eu, talvez exista tanta pressão se acumulando dentro de você por causa dos sentimentos e emoções não resolvidos que, sempre que acontece alguma coisa da qual você não gosta, é a gota d'água para você. Assim como eu, talvez você nem saiba o que está fazendo com que reaja da maneira que você tem reagido.

Li que estudos médicos indicam que setenta e cinco por cento das enfermidades físicas são causados por problemas emocionais.[2] E um dos maiores problemas emocionais que as pessoas enfrentam é a culpa. Muitas pessoas estão se punindo com a enfermidade. Elas estão se recusando a relaxar e a desfrutar a vida porque, afinal, não *merecem* se divertir. Então, elas vivem no eterno suplício do remorso e da lamentação. Esse tipo de estresse deixa as pessoas doentes.

Se isso descreve quem você é, a única resposta é clamar ao Espírito do Senhor para que Ele o ajude a chegar até a raiz do problema que está lhe causando tanto sofrimento. Só Ele sabe o que fazer para ajudá-lo.

Lembro-me de uma pequena história que ouvi sobre Henry Ford. Certo dia, uma peça de um equipamento importante em sua fábrica de automóveis não estava funcionando corretamente, então ele chamou um amigo chamado Steinmetz, que era um verdadeiro gênio da mecânica. Seu corpo era deformado, mas sua mente era fenomenal.

Quando viu que ninguém mais podia consertar a peça daquele maquinário extremamente necessário, Ford chamou Steinmetz, que se deteve diante da máquina por cerca de dez minutos, fazendo com que ela funcionasse novamente. Os dois amigos se alegraram, e Steinmetz partiu.

Alguns dias depois, Ford recebeu a cobrança de Steinmetz pelo serviço, no valor de dez mil dólares! Ele imediatamente ligou para seu amigo e reclamou: "Você não acha que isso é um pouco demais? Dez mil dólares é muito dinheiro a pagar para alguém que mexeu em uma máquina durante dez minutos".

Steinmetz respondeu calmamente: "Bem, dez dólares dessa conta foram pelos dez minutos que passei mexendo na máquina; os outros nove mil novecentos e noventa foram por saber onde mexer".

O motivo pelo qual o Espírito Santo é tão valioso nesse tipo de cura é porque Ele sabe onde mexer!

O Espírito Santo é o Único que o conhece melhor do que você conhece a si mesmo. Ele sabe o que está errado com você e o que fazer a respeito. A melhor coisa que você pode fazer para resolver seu problema é chamá-lo para trabalhar e mexer no que for necessário. Enquanto Ele faz isso, seja paciente. Lembre: a cura emocional é um processo, um processo que leva tempo.

DIGNO DE COMPAIXÃO OU CHEIO DE PODER?

Estejam alertas e vigiem. O Diabo, o inimigo de vocês, anda ao redor como leão, rugindo e procurando a quem possa devorar.

> Resistam-lhe, permanecendo firmes na fé, sabendo que os irmãos que vocês têm em todo o mundo estão passando pelos mesmos sofrimentos.
>
> I PEDRO 5:8-9

Se você quer receber a cura emocional e seguir em frente com sua vida, precisa abrir mão da autopiedade. Estou tão convencida dessa verdade que chego ao ponto de lhe fazer a mesma pergunta que Deus me fez há vários anos: "Você quer ser alguém digno de compaixão ou alguém cheio de poder?".

Também vou lhe fazer algumas outras perguntas sobre esse mesmo assunto. A primeira é: "Você sente pena de si mesmo?". Seja sincero em sua resposta. Não faça como eu costumava fazer, respondendo: "Sim, *mas...*".

Deus me mostrou que a autopiedade é como uma muralha que nos impede de seguir em frente na vida. Em minha própria vida, tive de aprender que todos têm problemas. Só porque sofri abuso quando criança, não sou um caso especial. Assim como todo mundo, tenho de assumir a responsabilidade pela minha própria cura e restauração — e você precisa fazer o mesmo. Precisamos cooperar com a obra do Espírito Santo em nossa vida.

Minha próxima pergunta é: "Você sente uma tristeza profunda?".

Durante anos vivi com uma grande e profunda tristeza porque "o que havia acontecido comigo não era justo; não deveria ter acontecido com um cão, então eu *mereço...*". É um pouco difícil para a carne ter de admitir que os nossos problemas especiais não fazem de nós casos especiais. Somos todos especiais para Deus, mas todos foram feridos ou sofreram abuso de uma forma ou de outra. Cada um de nós precisa assumir a responsabilidade pelo próprio comportamento e evitar colocar a culpa no passado ou naqueles que nos feriram.

A Bíblia nos diz que aqueles que se deixam dominar pela autopiedade se tornam vulneráveis ao diabo, que está procurando alguém para devorar. Se não quisermos que o diabo nos devore, precisamos resistir à autocomiseração, a colocar a culpa nos outros e a carregarmos uma tristeza profunda. Se fizermos as coisas do jeito de Deus, teremos a vitória de Deus.

Essa era a mensagem que Deus estava tentando me transmitir quando me perguntou se eu queria ser uma pessoa digna de compaixão ou uma pessoa cheia de poder. Ele estava me dizendo naquele tempo, assim como está dizendo a você agora: "Você pode ter um motivo para sentir pena de si mesma, mas não tem o direito de fazer isso, porque Eu estou disposto a curá-la. Eu a libertarei de tudo que Satanás tentou fazer com você, e usarei isso para o seu bem e para a Minha glória".

Todo o sofrimento e a mágoa que você sofreu, até as coisas que você fez para prejudicar a si mesmo, o Senhor pode transformar tudo isso nas ferramentas e no equipamento que você precisa para ministrar a outras pessoas que estão sofrendo.

FERIDOS QUE CURAM

> Bendito seja o Deus e Pai de nosso Senhor Jesus Cristo, Pai das misericórdias e Deus de toda consolação, que nos consola em todas as nossas tribulações, para que, com a consolação que recebemos de Deus possamos consolar os que estão passando por tribulações.
>
> 2 Coríntios 1:3-4

Geralmente, a melhor pessoa para curar alguém é aquela que foi ferida, porque ela sabe com o que está lidando uma vez que ela mesma sofreu. Era isso que Paulo estava dizendo nessa passagem de sua carta à igreja de Corinto.

Se você sofreu em tempos difíceis de sua vida, terá ainda mais êxito em ministrar àqueles que estão passando pelo mesmo tipo de sofrimento. Isso não significa que aqueles que nunca sofreram ou tiveram dificuldades não podem ser usados pelo Senhor. Alguns dos maiores e mais poderosos ministros que conheço viveram uma vida quase perfeita. Mas apenas porque você e eu sofremos, isso não impede que ministremos com êxito também.

Estou escrevendo este livro para ajudá-lo a entender que embora você tenha tido um período difícil em sua vida, Deus pode usar o que você viveu para a Sua glória — se você permitir que Ele faça isso!

Se eu ainda estivesse como comecei, sentindo pena de mim mesma, não poderia ajudar a mim mesma nem a qualquer outra pessoa. Na verdade, provavelmente estaria no prato de almoço do diabo! Ele estaria me mastigando e me cuspindo para fora. Mas porque o Senhor me deu a graça de abrir mão da minha autopiedade e aceitar o desafio de viver para Ele, agora posso ajudar centenas de milhares de pessoas em todos os Estados Unidos e em outros países.

Para mim, o maior testemunho de todos é poder dizer: "Deus pegou o que Satanás tentou usar para me destruir e o transformou para a Sua glória, usando-o para o aperfeiçoamento de outras pessoas no Reino".

É preciso ser Deus para fazer isso!

Não importa onde você possa estar hoje ou o que possa estar atravessando em sua vida. Deus pode transformar sua situação e usá-la para promover Seu Reino e trazer bênçãos para você e para muitos outros.

COMPAIXÃO OU PENA?

> Ora, as obras da carne são manifestas: imoralidade sexual, impureza e libertinagem; idolatria e feitiçaria; ódio, discórdia, ciúmes, ira, egoísmo, dissensões, facções e inveja; embriaguez, orgias e coisas semelhantes...
>
> Gálatas 5:19-21

Na Bíblia, a palavra "pena" sempre significa compaixão, aquilo que move uma pessoa a agir em benefício de alguém.

A pena ou a compaixão nunca são usadas nas Escrituras para se referir a sentirmos pena de nós mesmos por causa daquilo que estamos vivendo. Na verdade, nesse sentido, a autopiedade é vista como um dos pecados da carne relacionados aqui em Gálatas 5:19-21.

Quando o Senhor me revelou isso, procurei para ter certeza de que havia ouvido corretamente. Mas não consegui encontrar essa palavra na Bíblia, então tentei outra versão. Quando ainda assim não consegui encontrar, o Senhor falou comigo e disse: "Chama-se idolatria".

É verdade. Quando nos voltamos para dentro de nós mesmos e começamos a chorar com pena de nós mesmos, o que estamos fazendo? Estamos nos idolatrando. Estamos fazendo de nós mesmos o centro de tudo e sentindo pena de nós mesmos porque tudo na criação de Deus não está acontecendo da maneira que queremos.

A verdadeira pena ou compaixão nos move a agir em benefício de outra pessoa, mas a autopiedade ou idolatria nos arrasta para baixo, para a depressão e a desesperança.

Você se lembra do que Paulo e Silas fizeram quando estavam presos com correntes na prisão de Filipos por tentarem fazer o bem a outros? Em vez de sentirem pena de si mesmos, eles começaram a cantar, a louvar e a se alegrar no Senhor. O resultado foi que eles levaram o carcereiro ao arrependimento e à salvação.

Quando enfrentamos provações e problemas, temos uma escolha. Podemos sentir pena de nós mesmos, ou podemos erguer nossa cabeça e confiar no Senhor para nos conduzir à vitória, assim como Ele fez com Paulo e Silas.

A escolha é nossa.

SIGA EM FRENTE COM A VIDA

> E Davi implorou a Deus em favor da criança. Ele jejuou e, entrando em casa, passou a noite deitado no chão. Os oficiais do palácio tentaram fazê-lo levantar-se do chão, mas ele não quis, e recusou comer. Sete dias depois a criança morreu.
>
> Os conselheiros de Davi estavam com medo de dizer-lhe que a criança estava morta, e comentavam: "Enquanto a criança ainda estava viva, falamos com ele, e ele não quis escutar-nos. Como vamos dizer-lhe que a criança morreu? Ele poderá cometer alguma loucura!".
>
> Davi, percebendo que seus conselheiros cochichavam entre si, compreendeu que a criança estava morta e perguntou: "A criança morreu?" "Sim, morreu", responderam eles. Então Davi levantou-se do chão, lavou-se, perfumou-se e trocou de roupa. Depois entrou no santuário do Senhor e adorou. E voltando ao palácio, pediu que lhe preparassem uma refeição e comeu. Seus conselheiros lhe perguntaram: "Por que ages assim? Enquanto a criança

> estava viva, jejuaste e choraste; mas, agora que a criança está morta, te levantas e comes!".
> Ele respondeu: "Enquanto a criança ainda estava viva, jejuei e chorei. Eu pensava: 'Quem sabe? Talvez o Senhor tenha misericórdia de mim e deixe a criança viver'. Mas agora que ela morreu, por que deveria jejuar? Poderia eu trazê-la de volta à vida? Eu irei até ela, mas ela não voltará para mim".
>
> 2 Samuel 12:16-23

O que Davi estava dizendo aqui nessa passagem? Ele estava dizendo: "Quando meu filho estava doente, fiz tudo que podia para salvá-lo. Agora que ele está morto, não há nada mais que eu possa fazer. Por que deveria ficar sentado me lamentando por uma coisa que não posso mudar? É muito melhor para mim se eu me levantar e seguir em frente com minha vida".

É isso que o Senhor está nos encorajando a fazer hoje. Ele está nos dizendo para pararmos de lamentar o que aconteceu no passado e tomarmos a decisão de viver hoje e todos os dias pelo resto de nossa vida. Ele está nos dizendo para não arruinarmos o tempo que nos resta guardando luto por aquilo que foi perdido.

Ora, obviamente, quando passamos pela perda de um ente querido, há um período normal de luto que precisa ser vivenciado — mas se permitirmos que esse período perdure por tempo demais, ele se torna destrutivo.

Faça um voto agora mesmo de que deste momento em diante você não mais irá desperdiçar seu tempo precioso sentindo pena de si mesmo e se revolvendo na autopiedade por coisas que não pode mudar. Em vez disso, prometa que irá viver cada dia ao máximo, aguardando ansiosamente por quilo que Deus tem reservado para você na medida em que você o segue — um passo de cada vez.

Capítulo 4

As Emoções e o Processo do Perdão

Eis duas coisas que fazem com que fiquemos totalmente confusos interiormente. A primeira são as coisas negativas que os outros nos fizeram. A segunda são as coisas negativas que fizemos a nós mesmos e aos outros. Temos dificuldade em superar o que os outros nos fizeram, e achamos difícil esquecer o que fizemos a nós mesmos e aos outros.

Examinamos como nossas emoções funcionam, pois qualquer coisa que destrua nossa confiança em nós mesmos ou nos outros afetará não apenas a nós pessoalmente, como também o nosso relacionamento com as outras pessoas.

Neste capítulo, vamos considerar o que podemos esperar das nossas emoções quando começarmos a aprender a aplicar o perdão: a nós mesmos, aos outros, e a Deus.

SEJA RÁPIDO EM PERDOAR

> Livrem-se de toda amargura, indignação e ira (paixão, fúria, mau humor) e ressentimento (raiva, animosidade) e discussões (bri-

> gas, gritarias, rivalidade) e calúnia (falar mal, linguagem blasfema ou abusiva), bem como de toda malícia (maldade, má vontade, ou baixeza de qualquer tipo). E tornem-se úteis, ajudadores e bondosos uns para com os outros, sensíveis (compassivos, compreensivos, amorosos), perdoando-se mutuamente *[prontamente e liberalmente]* assim como Deus em Cristo perdoou vocês.
>
> Efésios 4:31-32, AMP

A Bíblia nos ensina a perdoar "prontamente e liberalmente". Devemos ser rápidos em perdoar.

De acordo com 1 Pedro 5:5, devemos nos revestir com o caráter de Jesus Cristo, significando que devemos ser pacientes e longânimos, não nos ofendermos facilmente, sendo lentos em nos irarmos, rápidos em perdoar, e cheios de misericórdia.

Minha definição da palavra "misericórdia" é a capacidade de olhar além do que é feito para descobrir o motivo pelo qual foi feito. Muitas vezes as pessoas fazem coisas que até elas não entendem, mas sempre há um motivo pelo qual se comportam da maneira como se comportam.

O mesmo acontece conosco como crentes. Devemos ser misericordiosos e perdoadores, assim como Deus em Cristo perdoa os nossos delitos — mesmo quando não entendemos por que fazemos o que fazemos.

PERDOE PARA IMPEDIR QUE SATANÁS LEVE VANTAGEM

> Se vocês perdoam a alguém, eu também perdôo; e aquilo que perdoei, se é que havia alguma coisa para perdoar, perdoei na presença de Cristo, por amor a vocês,a fim de que Satanás não tivesse vantagem sobre nós; pois não ignoramos as suas intenções.
>
> 2 Coríntios 2:10-11

A Bíblia nos ensina que devemos perdoar a fim de *impedir Satanás de ter vantagem sobre nós.* Então, quando perdoamos os outros, não apenas estamos fazendo um favor a eles, como estamos fazendo um favor ainda maior a nós mesmos. O motivo pelo qual estamos fazendo tal favor a nós mesmos é porque a falta de perdão produz em nós uma raiz de amargura que envenena todo o nosso organismo.

O PERDÃO E A RAIZ DE AMARGURA

> Cuidem que ninguém se exclua da graça de Deus. Que nenhuma raiz de amargura brote e cause perturbação, contaminando a muitos.
>
> HEBREUS 12:15

Quando estamos cheios de falta de perdão, estamos cheios de ressentimento e amargura. A palavra *amargura* é usada para se referir a alguma coisa que é picante ou ácida ao paladar.[1]

Lembramos que quando os filhos de Israel estavam para sair do Egito, o Senhor disse a eles na véspera da sua partida para prepararem uma refeição de Páscoa que incluía ervas amargas. Por quê? Deus queria que eles comessem aquelas ervas amargas como um lembrete da amargura que haviam passado no cativeiro.

A amargura sempre pertence ao cativeiro!

Dizem que as ervas amargas que os israelitas comeram provavelmente eram semelhantes à raiz-forte. Se você já comeu um bom punhado de raiz-forte, sabe que ela pode provocar uma reação física bastante forte. A amargura causa exatamente o mesmo tipo de reação em nós espiritualmente. Ela não apenas nos gera desconforto, como também gera desconforto no Espírito Santo que habita dentro de nós.

Vimos que devemos ser uma fragrância de aroma suave para aqueles que entram em contato conosco. Mas quando estamos cheios de amargura, o aroma que exalamos não é suave e doce, mas amargo.

Como a amargura tem início?De acordo com a Bíblia, ela cresce a partir de uma raiz. A Versão *King James* desse versículo fala de uma *raiz de amargura*. A raiz de amargura gera o fruto da amargura.

E qual é a semente da qual essa raiz brota? A falta de perdão. A amargura resulta das muitas ofensas menores que simplesmente não queremos deixar para trás, as coisas que ficamos remoendo sem parar dentro de nós até que crescem em enormes proporções e atingem tamanhos monumentais.

Além de todas as pequenas coisas que permitimos que fiquem fora de controle, existem as ofensas maiores que as pessoas cometem ou cometeram contra nós. Quanto mais permitimos que elas cresçam e infeccionem, mais poderosas elas se tornam, e mais contaminam todo o nosso ser; a nossa personalidade, a nossa atitude e o nosso comportamento, a nossa perspectiva, e os nossos relacionamentos — principalmente o nosso relacionamento com Deus.

DEIXE PARA TRÁS!

> Consagrem o qüinquagésimo ano e proclamem libertação por toda a terra a todos os seus moradores. Este lhes será um ano de jubileu, quando cada um de vocês voltará para a propriedade da sua família e para o seu próprio clã. Se alguém do seu povo empobrecer e se vender a algum de vocês, não o façam trabalhar como escravo.
>
> Ele deverá ser tratado como trabalhador contratado ou como residente temporário; trabalhará para quem o comprou até o ano do jubileu. Então ele e os seus filhos estarão livres, e ele poderá voltar para o seu próprio clã e para a propriedade dos seus antepassados.
>
> Levítico 25:10, 39-41

Para impedir Satanás de ter vantagem sobre você, perdoe! Faça a si mesmo um favor e deixe a ofensa para trás! Perdoe para impedir que você seja envenenado — e aprisionado.

De acordo com o dicionário *Webster*, a palavra *perdoar* significa "desculpar por um erro ou ofensa: PERDÃO".[2]

Quando uma pessoa é declarada culpada de um crime e sentenciada a servir um período na prisão, dizemos que ela tem uma dívida para com a sociedade. Mas se for perdoada, lhe é permitido seguir o seu caminho livremente sem restrição algum. Esse perdão não pode ser conquistado, ele precisa ser concedido por uma autoridade superior.

Quando alguém nos ofende, você e eu tendemos a pensar que essa pessoa nos deve. Por exemplo, uma jovem certa vez veio à fila para receber oração em uma de nossas reuniões e me disse que havia acabado de surpreender seu marido traindo-a. A reação dela foi: "Ele me *paga*!".

Quando alguém nos fere, reagimos como se aquela pessoa tivesse roubado alguma coisa de nós ou nos ferido fisicamente. Sentimos que essa pessoa nos deve algo. Foi por isso que Jesus nos ensinou a fazer a oração do Pai Nosso: "Perdoa-nos as nossas dívidas, assim como nós perdoamos aos nossos devedores" (Mateus 6:12).

Em Levítico 25 lemos sobre o Ano do Jubileu, no qual todas as dívidas eram perdoadas e todos os devedores eram perdoados e libertos.

Quando estamos em Cristo, todos os dias podem ser o Ano do Jubileu. Podemos dizer àqueles que estão em débito conosco por nos maltratarem: "Eu perdoo você e o libero de sua dívida. Você é livre para ir. Eu o deixo nas mãos de Deus para que Ele trate com você, porque enquanto eu tentar tratar com você, Ele não vai fazer isso".

De acordo com a Bíblia, não devemos manter as pessoas eternamente em débito, assim como nós mesmos não devemos ficar em débito com ninguém. "Não devam nada a ninguém, a não ser o amor de uns pelos outros..." (Romanos 13:8). Precisamos aprender a perdoar as pessoas, a cancelar a dívida delas conosco.

Você pode imaginar a alegria de uma pessoa que fica sabendo que foi perdoada e livre de uma sentença de dez ou vinte anos na prisão? Essas são as boas novas da Cruz. Porque Jesus pagou nossa dívida por nós, Deus pode nos dizer: "Você não me deve nada mais!".

Há uma canção que transmite esse pensamento com as palavras "Eu tinha uma dívida que não podia pagar; Ele pagou uma dívida que não era Sua".

Nosso problema é que ou estamos tentando pagar a nossa dívida para com o Senhor, ou estamos tentando receber as dívidas que as pessoas têm conosco. Assim como Deus cancelou a nossa dívida e nos perdoou por ela, do mesmo modo devemos cancelar as dívidas dos outros e perdoá-los pelo que nos devem.

DEIXE PARA LÁ!

> E quando estiverem orando, se tiverem alguma coisa contra alguém, perdoem-no e deixem para lá (esqueçam, deixem para trás), para que também o seu Pai que está nos céus possa lhes perdoar os seus [próprios] pecados e delitos e os deixe para lá.
>
> Marcos 11:25, AMP

De acordo com o dicionário, perdoar também significa "renunciar à ira ou ao ressentimento contra, absolver do pagamento de (ex., uma dívida)".[3] Gosto da expressão usada pela *Amplified Bible* nesse versículo: "Deixe para lá".

Quantas vezes você teve um problema com alguém e acha que já resolveu isso entre vocês, mas a outra pessoa continua trazendo o assunto à tona?

Meu marido e eu tivemos esse tipo de experiência um com o outro muitas vezes no nosso relacionamento. Acredito que a maioria dos homens tem mais disposição e capacidade de deixar as coisas para trás do que as mulheres. O estereotipo popular da mulher implicante não é totalmente inexato. Sei disso, porque eu costumava ser uma delas.

Dave e eu tínhamos um desentendimento ou um problema entre nós e ele dizia: "Ah, vamos esquecer o assunto". Mas eu ficava arrastando aquilo e falando sem parar. Lembro-me dele dizendo para mim em desespero: "Joyce, não podemos simplesmente deixar isso para lá?".

É isso que Jesus está nos dizendo para fazer aqui neste versículo. Deixe para lá, esqueça isso, deixe para trás, pare de falar no assunto. Mas a questão é: como fazemos isso?

RECEBA O ESPÍRITO SANTO

> Novamente Jesus disse: "Paz seja com vocês! Assim como o Pai me enviou, eu os envio". E com isso, soprou sobre eles e disse: Recebam o Espírito Santo. Se perdoarem os pecados de alguém, estarão perdoados; se não os perdoarem, não estarão perdoados.
>
> João 20:21-23

A regra número um para se perdoar pecados é receber o Espírito Santo, pois Ele nos dá a força e a capacidade para perdoar. Nenhum de nós pode fazer isso por conta própria.

Creio que quando Jesus soprou sobre os discípulos e eles receberam o Espírito Santo, nasceram de novo naquele momento. A próxima coisa que Ele lhes disse foi que todos os pecados que eles perdoassem seriam perdoados, e que todos os pecados que eles retivessem seriam retidos.

O perdão dos pecados parece ser o primeiro poder conferido às pessoas quando elas nascem de novo. Se isso é verdadeiro, então perdoar pecados é o nosso primeiro dever como crentes. Mas embora tenhamos o *pode*r para perdoar pecados, nem sempre é *fácil* perdoar pecados.

Sempre que alguém faz alguma coisa comigo que preciso perdoar, eu oro: "Espírito Santo, sopra sobre mim e dá-me a força para perdoar esta pessoa". Faço isso porque as minhas emoções estão gritando e clamando: "Você me feriu — e isso não é justo!".

Nesse momento preciso me lembrar do que já aprendemos sobre deixar as coisas para trás e permitir que o Deus da justiça "acerte as contas" e resolva tudo no final. Tenho de lembrar a mim mesma que a minha função é orar, e a de Deus é pagar.

Quando alguém fizer algo que machuca você, busque o Senhor e receba Dele a força para colocar sua vontade no altar e diga: "Senhor, perdoo esta pessoa. Eu a libero; eu a deixo ir".

Uma vez tendo feito isso, você tem de deixar o assunto para lá. Não adianta nada passar por tudo isso e depois ir almoçar com os amigos ou sócios e trazer a coisa toda à tona. Por quê? Porque Satanás usará isso como uma oportunidade para anular sua decisão de perdoar e roubar de você a paz e a benção.

SATANÁS VAI PROVOCAR VOCÊ!

> Meus amados irmãos, tenham isto em mente: Sejam todos prontos para ouvir, tardios para falar e tardios para irar-se.
>
> TIAGO 1:19

É muito importante entender que Satanás vai provocar você — inclusive por intermédio da boca de outros cristãos. Você sabe o que eles dirão a você no almoço?

"E então, como você e a fulana de tal estão se dando? Ouvi dizer que vocês estavam tendo um probleminha".

Viu a isca tentadora?

Como está tentando esquecer o assunto, você pode responder: "Ah, não houve nenhuma má intenção".

Mas se você não tomar cuidado, os outros vão continuar a provocá-lo com perguntas, arrastando-o para uma conversa sobre um assunto que você já decidiu deixar para trás.

Sei como a fofoca funciona porque anos atrás eu não conseguia me afastar de uma história "cabeluda". Alguém me dizia alguma coisa sobre outra pessoa, e as minhas orelhas praticamente ficavam em pé. Eu ficava toda animada: "Ah, agora vou saber de um segredo!". Esse é o tipo de coisa que nos envenena.

Hoje, quando alguém começa a falar de outra pessoa ou de outro ministério, tento desviar a conversa para uma direção totalmente diferente. Passo por cima do assunto dizendo algo do tipo: "Bem, apenas oro para que Deus ajude esta pessoa e este ministério a resolver os problemas deles e a aprender algo com esta experiência que os torne mais poderosos do que nunca".

Quando alguém procurar você para provocá-lo a falar sobre algum problema na sua igreja ou ministério, você precisa tentar desviar a conversa dizendo: "Ah, sim, tudo bem, tivemos um pequeno problema por um tempo. Mas no que me diz respeito, tudo vai sair bem".

Se a pessoa insistir em perguntar como as coisas estão indo, diga a ela educadamente, mas com firmeza, que você não vai discutir o assunto negativamente de modo algum.

Faça como a Bíblia diz e seja tardio para falar, rápido para ouvir, e tardio para se irar ou se ofender.

Sempre que ouvir algo que o angustie e faça com que você queira reagir de maneira áspera, pare e pense: "O que o diabo está tentando fazer comigo com isso?".

O que ele provavelmente está tentando fazer é anular sua oração de perdão provocando-o a relembrar a ofensa sem parar.

De que adiante dizermos a alguém o quanto fomos magoados? Ora, não estou dizendo que não devemos nunca compartilhar o que se passa em nossa vida. Mas precisamos preservar um equilíbrio no que diz respeito a esses comentários. Precisamos tomar cuidado para não destruirmos o caráter ou a reputação de alguém. Só porque alguém nos fez mal, isso não nos dá o direito de fazer mal a essa pessoa em troca. Um erro não justifica o outro.

Perdoe para impedir que Satanás tenha vantagem sobre você. Recuse-se a morder a isca do diabo. Não fique relembrando a ofensa. Se você realmente quer superar alguma coisa dolorosa, parece de pensar e falar nela.

UM TOM DE MISERICÓRDIA

> Quando chegaram ao lugar chamado Caveira, ali o crucificaram com os criminosos, um à sua direita e o outro à sua esquerda. Jesus disse: Pai, perdoa-lhes, pois não sabem o que estão fazendo...
>
> LUCAS 23:33-34

Compartilhei este exemplo muitas vezes, mas estou fazendo-o de novo porque acredito que ele é muito poderoso.

A mãe de meu marido criou oito filhos, praticamente sozinha. Hoje todos esses filhos estão servindo ao Senhor. Quando eles eram pequenos, ela tinha de limpar a casa de outras pessoas para poder pagar as contas porque não estava inscrita em nenhum tipo de programa de pensão do governo. Tudo que ela tinha para se sustentar e à sua família era um pequeno cheque mensal da assistência social. Quando os filhos mais velhos cresceram, eles a ajudavam e também ao restante da família. Todos faziam o que podiam para levar algum dinheiro para casa.

O ambiente no qual Dave cresceu poderia ser chamado de pobre de acordo com os padrões atuais. Mas todos aqueles filhos sabiam que eram amados. Eles eram levados à igreja e lhes eram ensinados valores e princípios. E essa criação teve um efeito duradouro em cada um deles.

Em todos os anos em que Dave e eu estamos casados, nunca o ouvi, nem nenhum dos membros de sua família, dizer uma única coisa depreciativa sobre o pai deles, embora ele tenha sido a pessoa mais responsável por aquela situação difícil durante todo o tempo. Ele era alcoólatra e morreu quando Dave tinha dezesseis anos.

Sua família sempre tocou no assunto com um tom de misericórdia. Creio que a atitude de perdão deles abriu as portas para a benção em suas vidas.

Quando Jesus estava pendurado na cruz, Ele orou por aqueles que o estavam atormentando, dizendo: "Pai, perdoa-lhes, pois não sabem o que estão fazendo". Você e eu precisamos nos revestir de Jesus, assumir o Seu caráter e a Sua personalidade. Precisamos parar de ficar tão preocupados com aquilo que os outros estão fazendo *conosco* e ficar mais preocupados com o que eles estão fazendo *consigo mesmos* pela maneira como estão nos tratando.

No Antigo Testamento, o Senhor disse aos inimigos do Seu povo, Israel: "Não maltratem os meus ungidos..." (1 Crônicas 16:22). Uma vez que você e eu somos filhos de Deus, nós somos os ungidos Dele. As pessoas se colocam em uma posição perigosa quando nos maltratam, então precisamos orar por elas. Precisamos ter misericórdia delas e fazer como Jesus fez, pedindo a Deus para perdoá-las porque elas não entendem o que estão fazendo.

ABENÇOE E NÃO AMALDIÇOE

Agora, gostaria de mencionar três passagens bíblicas muito importantes relacionadas ao perdão e verificar se você consegue detectar um traço comum em cada uma delas que frequentemente negligenciamos quando procuramos ser capazes de perdoar alguém que nos magoou.

> Vocês ouviram o que foi dito: Ame o seu próximo e odeie o seu inimigo. Mas eu lhes digo: Amem os seus inimigos e orem por aqueles que os perseguem.
>
> MATEUS 5:43-44

> Abençoem os que os amaldiçoam, orem por aqueles que os maltratam.
>
> LUCAS 6:28

> Abençoem aqueles que os perseguem; abençoem, e não os amaldiçoem.
>
> ROMANOS 12:14

Você vê o que está faltando quando apenas perdoamos os nossos inimigos, mas não vamos além disso? Deixe-me compartilhar com você uma lição que aprendi quando ministrava sobre o tema do perdão.

Certa vez perguntei ao Senhor: "Pai, por que as pessoas vêm às nossas reuniões e oram para que possam aprender a perdoar, mas em pouco tempo estão de volta outra vez ainda com problemas e pedindo ajuda?".

A primeira coisa que o Senhor me disse sobre essas pessoas foi isto: "Elas não fazem o que eu digo a elas na Palavra".

Veja bem, embora o Senhor nos diga na Sua Palavra para *perdoarmos* as pessoas, Ele não para por aí. Ele segue em frente e nos instrui a *abençoá-las.* Nesse contexto, a palavra *abençoar* significa "falar bem de".[4] Portanto, um dos nossos problemas é que embora nós oremos e perdoemos aqueles que nos ofenderam, nós nos viramos e os amaldiçoamos com a nossa língua ou relembramos a ofensa incessantemente com os outros. Fazer isso não dá certo!

A fim de passar pelo processo do perdão e desfrutar a paz que buscamos, precisamos fazer o que Deus nos disse para fazermos, que é não apenas perdoar, mas também abençoar.

Um dos motivos pelos quais achamos tão difícil orar por aqueles que nos magoaram e nos maltrataram é porque temos a tendência de pensar que estamos pedindo a Deus que os abençoe fisicamente ou materialmente.

A verdade é que não estamos orando para que eles tenham mais dinheiro ou tenham mais bens, estamos orando para que sejam abençoados espiritualmente. O que estamos fazendo é pedir a Deus que traga verdade e revelação a eles sobre sua atitude e comportamento, a fim de que eles estejam dispostos a se arrependerem e sejam libertos de seus pecados.

Sei o quanto pode ser difícil falar bem de pessoas que nos fizeram mal. Deixe-me dar-lhe um exemplo da minha própria experiência.

Há algum tempo, nós nos mudamos para uma bela casa em um novo bairro. O único problema era que o construtor da casa não executou todos os reparos que havia prometido fazer. Então, acabamos tendo de gastar tempo e dinheiro extra para consertar coisas que não deveriam ser responsabilidade nossa. Mas estávamos decididos a não "falar mal" dele. Por quê? Porque não queríamos que Satanás tivesse vantagem sobre nós.

Certa noite, vi uma moça levando seu filho para passear perto de nossa casa, então iniciei uma conversa com ela.

"Você está gostando da casa nova?" perguntei, tentando ser amigável.

"Ah, sim", ela respondeu, "mas nem me pergunte sobre o construtor!".

Ora, aquela era uma mulher gentil, mas reconheci imediatamente que o diabo estava tentando me provocar. Como minha carne gostaria de responder: "Ah, vá em frente! Pode falar!".

Fiquei muito tentada a encorajá-la a começar a depreciar o construtor. Mas imediatamente me veio à mente o que dizer.

"Bem", respondi, "acho que seria difícil encontrar um construtor que fizesse tudo cem por cento correto".

Essa observação mudou toda a conversa.

Não é suficiente perdoar as pessoas, precisamos tomar cuidado para não amaldiçoá-las, para não falarmos mal delas ainda que pareça que elas mereçam. Em vez disso, precisamos fazer como Jesus fez e abençoá-las, falar bem delas. Por quê? Porque ao fazer isso, abençoamos não apenas a elas, mas a nós mesmos.

PERDOANDO OS OUTROS E PERDOANDO A SI MESMO

> Se, porém, andamos na luz, como ele está na luz, temos comunhão uns com os outros, e o sangue de Jesus, seu Filho, nos purifica de todo pecado.
>
> Se afirmarmos que estamos sem pecado, enganamo-nos a nós mesmos, e a verdade não está em nós. Se confessarmos os nossos pecados, ele é fiel e justo para perdoar os nossos pecados e nos purificar de toda injustiça.
>
> 1 João 1:7-9

Enquanto estamos aprendendo a perdoar, precisamos nos lembrar de que devemos perdoar não apenas os outros, mas também a nós mesmos. Precisamos aceitar e receber o perdão que pedimos que Deus nos dê.

Se sentimos que fizemos coisas para causar problemas a outros, precisamos ser perdoados tanto quanto precisamos perdoar aqueles que nos causaram problemas.

Se deixarmos de perdoar a nós mesmos, nos isolamos da comunhão com Deus tanto quanto quando deixamos de perdoar os outros. Precisamos ser tão rápidos em perdoar a nós mesmos pelos nossos próprios pecados, erros e fraquezas, quanto somos em perdoar aqueles que nos fizeram mal. De outro modo, acabaremos presos na esfera da culpa e da condenação.

Deus quer que sejamos livres para que Ele possa ter plena comunhão conosco. Mas quando estamos cheios de culpa e condenação, nossa comunhão com o Pai é arruinada.

O Senhor prometeu: "Todo o que o Pai me der virá a mim, e quem vier a mim eu jamais rejeitarei" (João 6:37).

Se você fez alguma coisa errada, busque o Senhor. Ele prometeu perdoá-lo pelos seus pecados e afastá-los de você assim como o Oriente está distante do Ocidente, e não lembrar mais deles.

Você já se esqueceu de alguma coisa importante e não conseguiu se lembrar do que era, por mais que tentasse? É assim que Deus faz com relação aos nossos pecados. Uma vez que os tenhamos reconhecido e confessado, Ele nos perdoa por eles e os esquece, para que não possa mais se lembrar deles ainda que tente.

De acordo com a Bíblia, não há condenação para aqueles que estão em Cristo Jesus; as coisas velhas já passaram, e todas as coisas se fizeram novas (Romanos 8:1, 2; 2 Coríntios 5:17).

Então, por que não fazer um favor a si mesmo e se perdoar assim como você perdoa os outros?

PERDOANDO DEUS

Outra área onde as pessoas têm muitos problemas é na dificuldade que têm de perdoar Deus.

Aqueles que nunca experimentaram esse sentimento talvez não o entendam. Mas aqueles que o experimentaram sabem o que é sentir animosidade para com Deus porque O culpam por defraudá-los em alguma coisa em suas vidas. As coisas não saíram da maneira que eles planejaram. Eles imaginam que Deus poderia ter mudado as coisas se quisesse, mas como Ele não o fez, eles o culpam pela situação em que se encontram. Sentem que Deus os decepcionou e desapontou.

Talvez você tenha se sentido assim uma vez ou outra em sua vida. Nesse caso, você sabe que é impossível ter comunhão com alguém se você está furioso com essa pessoa. Nesse caso, a única resposta é perdoar Deus!

Isso pode realmente soar estranho, e é claro que Deus não precisa ser perdoado! Mas tal honestidade pode quebrar o cativeiro e restaurar a comunhão que foi quebrada pela ira direcionada ao Senhor.

Muitas vezes achamos que poderíamos aceitar melhor as coisas se tão somente soubéssemos por que elas aconteceram do jeito que aconteceram. Achamos que se tão somente soubéssemos por que certas coisas aconteceram conosco, ficaríamos satisfeitos. Mas o Senhor compartilhou comigo que talvez ficássemos muito menos satisfeitos se realmente soubéssemos.

Acredito que Deus nos diz somente o que realmente precisamos saber, o que estamos preparados para lidar, o que não nos fará mal, ao contrário, nos ajudará.

Muitas vezes saímos por aí cavando e tentando descobrir alguma coisa que Deus está retendo de nós para o nosso próprio bem. É por isso que precisamos aprender a confiar em Deus e não tentar entender tudo na vida.

Mais cedo ou mais tarde, precisamos chegar ao ponto de deixarmos de nos sentir amargurados, ressentidos e com pena de nós mesmos. É preciso que venha um tempo em que paremos de viver no passado e de perguntar por quê. Em vez disso, precisamos aprender a deixar que Deus transforme nossas cicatrizes em estrelas.

LIGANDO E DESLIGANDO POR MEIO DO PERDÃO

Digo-lhes a verdade: Tudo o que vocês ligarem na terra terá sido ligado no céu, e tudo o que vocês desligarem na terra terá sido desligado no céu.

MATEUS 18:18

Não ouvimos mensagens suficientes sobre perdão. Precisamos crescer até o ponto de sermos rápidos em perdoar, e ouvir mais sobre o assunto nos fortalecerá para fazermos isso.

É verdade que você e eu temos autoridade como crentes, a autoridade para ligar e para desligar. Fomos ensinados sobre essa verdade em Mateus 18:18. Entretanto, se você ler todo o capítulo 18 de Mateus, verá que nele Jesus está falando sobre *perdão!*

No versículo 21, Pedro perguntou a Jesus quantas vezes ele deveria perdoar seu irmão que pecou contra ele. Em Sua resposta, Jesus contou a história do servo que foi perdoado pelo seu senhor de uma enorme dívida impagável. Mas depois o homem saiu e exigiu o pagamento imediato de outro servo que lhe devia uma pequena soma, ameaçando lançar a ele e à sua família na cadeia se ele não pudesse pagar. O resultado final foi que o servo mau foi chamado para comparecer diante do seu senhor e condenado à prisão do devedor, pois havia se recusado a perdoar alguém como ele havia sido perdoado (vs. 23-24).

Em seguida, no último versículo, Jesus concluiu todo esse capítulo dizendo: "Assim também meu Pai celestial tratará com vocês, se cada um de vocês não perdoar liberalmente, de coração a seu irmão" (v.35, AMP).

Nos versículos 15 a 17, imediatamente antes do versículo sobre ligar e desligar, Jesus ensinou que se o nosso irmão nos fizer mal, devemos procurá-lo em particular e tentar resolver o problema. Se ele não ouvir, então devemos levar mais dois outros conosco. Se ainda assim ele não ouvir, devemos levar a questão ao conhecimento da igreja. Se ainda assim ele não quiser ouvir, devemos romper a comunhão com ele.

Mas você entende que tudo isso é para o bem do seu irmão e não para o seu próprio bem?

Tudo isso!

Realmente creio que há um momento em que podemos ter de romper a comunhão com alguém, mas isso deve ser em benefício dele e não nosso — para ajudá-lo a entender a gravidade de seu mau comportamento e, espera-se, para ajudá-lo a se arrepender e manifestar um comportamento temente a Deus. Muitas vezes, quando as pessoas têm um problema, elas não querem fazer nada a respeito até que alguma coisa como uma comunhão quebrada as obrigue a avaliar a situação e a tomar uma atitude para consertar as coisas.

PERDÃO E RESTAURAÇÃO

Perdão significa restauração?

Muitas pessoas têm a ideia errônea de que se alguém as magoou e elas perdoaram essa pessoa, terão de voltar e sentir a mesma mágoa novamente. Elas acreditam que para perdoar, precisam voltar a ter um relacionamento ativo com a pessoa que as magoou. Isso não é verdade, e esse conceito errôneo causou problemas para muitas pessoas que querem perdoar.

O perdão não significa necessariamente restauração. Se o relacionamento puder ser restaurado, e se estiver dentro da vontade de Deus que ele seja restaurado, então a restauração é o melhor plano. Mas um relacionamento quebrado nem sempre pode ser restaurado. Às vezes isso nem seria sábio, principalmente nos casos em que houve abuso.

LIMPANDO A FERIDA

Durante minha infância, uma pessoa cometeu abuso contra mim por muito tempo. Passei a odiá-lo. Finalmente, anos depois, Deus me libertou de maneira soberana daquele ódio porque eu o entreguei a Ele e pedi que me libertasse.

Embora tivesse perdoado a pessoa e estivesse livre do meu ódio por ela, eu continuava não querendo estar perto dela. Embora tomemos a decisão de perdoar alguém, pode levar muito tempo até que as nossas emoções estejam curadas nessa área.

Deus me revelou que perdoar é como limpar a infecção de uma ferida. A Palavra de Deus nos ajuda a renovar nossa mente com relação a como tratar adequadamente uma ferida emocional. Mas a profundidade da cicatriz depende muito de como a ferida é tratada nos seus estágios iniciais.

Se uma ferida é tratada adequadamente desde o começo, a cicatriz deixada não causará problemas. Se ela for deixada de lado e for permitido que a infecção aumente e se espalhe, embora a ferida seja limpa e protegida, pode deixar uma cicatriz feia que mais tarde pode gerar problemas.

O mesmo acontece tanto emocional quanto fisicamente. O melhor plano é o perdão rápido e completo; entretanto, muitas pessoas não entendem isso a princípio, quando são feridas. Se uma pessoa não recebeu ensinamentos sobre os princípios e diretrizes divinos, ela reage de uma maneira natural, como eu reagi quando sofri abuso. Tudo que eu sabia era sentir ódio pelo meu abusador, e o resultado foi um coração duro, a rebelião, e muitos outros problemas que levaram anos para serem superados.

É mais difícil se recuperar se a ferida foi profunda e deixou cicatrizes. Mas Deus promete trazer restauração à nossa vida, e sei por experiência própria que Ele faz o que promete fazer se fizermos o que Ele nos diz.

Podemos decidir perdoar as pessoas e nos recusarmos a falar mal delas como a Palavra de Deus nos instrui. Podemos orar por elas e pedir a Deus que as abençoe. Podemos até fazer todo tipo de boas obras para elas e lhes demonstrar misericórdia e graça. Mas podemos continuar nos sentindo magoados por elas. Leva tempo para os nossos sentimentos acompanharem as nossas decisões.

Mesmo depois que uma ferida física parece estar curada por fora, ela ainda pode estar dolorida e sensível por dentro. O mesmo acontece com as feridas emocionais. Por isso, precisamos ser capazes de distinguir o verdadeiro perdão de sentimentos que ainda estão doloridos e sensíveis.

PERDÃO X SENTIMENTOS

Creio que o maior engano na área do perdão que Satanás tem perpetuado na igreja é a ideia de que se os *sentimentos* de uma pessoa não mudaram, ela não perdoou.

Muitas pessoas acreditam neste engano. Elas decidem perdoar alguém que lhe fez mal, mas o diabo as convence de que por elas ainda terem o mesmo sentimento em relação à aquela pessoa, elas não perdoaram completamente aquele indivíduo.

Elas voltam à estaca zero e começam a fazer a mesma oração novamente: "Ó Deus, o que há de errado comigo? Quero perdoar, mas não consigo! Ajuda-me, Senhor. Por favor, ajuda-me!".

No meu caso, embora tivesse perdoado a pessoa que havia cometido abuso contra mim e finalmente tivesse tentado ter comunhão com ele, essa pessoa deixou claro que não achava que havia feito nada de errado. Na verdade, chegou ao ponto de me culpar pelo que havia acontecido. Finalmente fui obrigada a fazer como Jesus ensinou em Mateus 18 e cortei o relacionamento com ele até que se arrependesse.

Não teria agido com sabedoria se tentasse reconciliar o relacionamento enquanto não houvesse arrependimento da parte da outra pessoa. Até que as pessoas se arrependam, elas costumam fazer as mesmas coisas sem parar. Eu sabia que tinha de me proteger e que não era a vontade de Deus que eu abrisse a porta para novos abusos.

Em determinado momento, eu disse a ele: "Quero que você saiba que nunca mais vou ser abusada por você. Você me controlou por muito tempo, mas nunca mais vai fazer isso. Eu o amo como alguém por quem Jesus morreu, e estou disposta a seguir com o nosso relacionamento, mas até você reconhecer os seus pecados contra mim e se arrepender deles, é impossível termos um relacionamento apropriado".

Confrontá-lo dessa maneira foi algo que fui levada a fazer pelo Espírito de Deus, e foi parte do meu próprio processo de cura.

Eu havia sido controlada por um espírito de medo no que se refere a essa pessoa por muitos anos, e era hora de confrontar esse medo.

Tudo isso significa que eu estava cheia de amargura, ressentimento e falta de perdão? Não, significava apenas que eu podia distinguir entre o meu perdão e os meus sentimentos. Eu o perdoei porque amo a Deus e quero fazer o que Ele me diz para fazer. Levou muito tempo para que os meus sentimentos acompanhassem a minha decisão, por causa da profundidade da ferida, mas eu havia feito a minha parte. Eu havia agido com base na Palavra de Deus e tomado a decisão de perdoar. A restauração ainda não era possível, mas o perdão sim.

Se fizermos o que podemos fazer, Deus sempre fará o que não podemos fazer. Eu podia tomar a decisão de obedecer a Deus, mas eu não podia mudar a maneira como me sentia. Deus fez isso por mim à medida que o tempo foi passando.

A cura leva tempo!

Podemos limpar e desinfetar a ferida. Podemos cobrir a ferida e cuidar dela. Mas não podemos curá-la realmente. É Jesus quem cura.

Há uma boa conclusão para a minha história! Mais tarde, Deus se moveu de forma poderosa para trazer libertação e cura a esse relacionamento. O Senhor estava trabalhando por trás dos bastidores, e um dia a pessoa que havia cometido abuso contra mim me disse que lamentava muito o fato de que aquilo que ela havia feito havia me machucado. Ele disse que nunca havia tido a intenção de me ferir e que embora soubesse que o que estava fazendo era errado, nunca havia entendido o quanto aquilo me afetaria negativamente.

Àquela altura eu já o havia perdoado de todo o coração, mas vê-lo admitir que havia agido mal e sua disposição de tentar agir corretamente abriu a porta para o início da restauração do relacionamento. O processo foi lento e nem sempre confortável, mas pelo menos nós estávamos avançando progressivamente.

Incluí este exemplo da minha própria vida para ajudá-lo a entender que o simples fato de você perdoar não significa que não tem nenhum sentimento. Você pode sofrer por muito tempo. Mas o importante é não permitir que o inimigo o convença de que apenas porque os seus sentimentos estão feridos, isso significa que você não fez a sua parte diante de Deus.

Lembre, decida-se a perdoar, ore pelos seus inimigos, abençoe-os e não os amaldiçoe. Com o poder do Espírito Santo nos ajudando, podemos aprender a não tratar mal aqueles que nos feriram. Podemos evitar dizer coisas duras sobre eles aos outros. Podemos orar por eles. Podemos esperar pela recompensa de Deus e ver a Sua glória manifesta em nossa vida quando optamos por fazer as coisas do jeito Dele!

Capítulo 5

As Mudanças de Humor

Os altos e baixos das nossas emoções são algumas das maiores ferramentas que Satanás usa para roubar nossa alegria e destruir nossa eficácia como testemunhas de Cristo. Precisamos aprender a nos tornarmos crentes estáveis, sólidos, firmes, perseverantes e determinados.

Como observamos no início deste livro, nenhum de nós jamais ficará totalmente livre das emoções. Mas graças a Deus porque podemos aprender a administrá-las. Podemos aprender a controlar as nossas emoções e não permitir que elas nos controlem.

A vida não é divertida quando é controlada pelos sentimentos, porque os sentimentos mudam de um dia para o outro, de uma hora para a outra, e até de um momento para o outro. Não se pode confiar nos sentimentos, não apenas porque eles mudam com tanta frequência, mas também porque mentem.

O diabo adora usar os nossos sentimentos para nos influenciar porque ele sabe que somos criaturas "almáticas". Costumamos nos permitir ser guiados pela nossa alma — nossa mente, vontade e emoções — em vez de sermos guiados pelo Espírito da Verdade.

Não podemos impedir que o inimigo coloque pensamentos negativos em nossa mente, mas não temos de permanecer nesses pensamentos. Por termos uma vontade, podemos optar por recusá-los. Do mesmo modo, não podemos impedir Satanás de brincar com as nossas emoções, mas podemos usar essa mesma vontade para nos recusarmos a ceder a elas.

O fato é que, como seguidores de Cristo, precisamos viver com base na verdade e na sabedoria, e não com base nos sentimentos e nas emoções.

PENSE CONSIGO MESMO

A fim de viver com base na verdade e na sabedoria, às vezes temos de pensar com nós mesmos. Quando sentimentos estranhos ameaçam nos oprimir, precisamos parar e assumir o controle dos nossos pensamentos e sentimentos. Uma maneira de fazer isso é falar com nós mesmos, seja em silêncio ou em voz alta. Faço isso o tempo todo.

Houve um tempo em minha vida em que eu não resistia aos sentimentos negativos, e o resultado era que eu tinha uma vida muito instável e infeliz.

Agora, quando sentimentos de solidão começam a surgir dentro de mim para gerar medo e tristeza, paro e digo a mim mesma: "Joyce Meyer, pare com isso! Você pode se *sentir* só, mas você *não* está só. Com todas as pessoas que Deus colocou em sua vida para amar e cuida de você, você não pode de modo algum estar só".

Então, embora possa ocasionalmente me sentir só, não permito que os meus sentimentos me dirijam e estraguem minha vida. Isso é parte do que se conhece como *maturidade emocional.*

MATURIDADE EMOCIONAL

Você pode estar em uma multidão e *sentir* que todos estão falando de você, mas isso não significa que eles estão realmente fazendo isso.

Você pode *sentir* que ninguém o entende, mas isso não significa que eles realmente façam isso.

Você pode *sentir* que é incompreendido, que não é apreciado, ou que é até maltratado, mas isso não significa que seja verdade.

Satanás quer que demos ouvidos aos nossos sentimentos, que são mutáveis e não confiáveis, em vez de ouvirmos a voz do Espírito Santo, que sempre diz a verdade. Por esse motivo, precisamos fazer da maturidade emocional o nosso alvo. E para o crente, o primeiro passo para a maturidade emocional é aprender a ouvir o Espírito em vez de ouvir a alma.

Se quisermos ser pessoas maduras, disciplinadas e controladas pelo Espírito, precisamos estar determinados a andar no Espírito e não na carne. É necessário um ato constante da vontade para escolher fazer as coisas do jeito de Deus e não do nosso jeito.

COMO UMA ROCHA

> E beberam da mesma bebida espiritual; pois bebiam da rocha espiritual que os acompanhava, e *essa rocha era Cristo.*
>
> 1 Coríntios 10:4

Meu marido sempre foi muito estável emocionalmente. Na verdade, ele me faz lembrar uma rocha, que é um dos nomes de Jesus.

Uma maneira de explicar a natureza de Jesus seria dizer que Ele tem maturidade emocional. Parte dessa maturidade é a estabilidade, é ser imutável.

O escritor do livro de Hebreus nos diz que "Jesus Cristo é o mesmo ontem, hoje e para sempre" (Hebreus 13:8). Você realmente acredita que Jesus se permitia ser movido ou dirigido pelas emoções, como nós costumamos fazer? É claro que não. Sabemos que Ele era dirigido pelo Espírito, e não por sentimentos, embora tenhamos visto que Ele estava sujeito aos mesmos sentimentos que você e eu experimentamos em nossa vida diária.

Nesse sentido, Dave sempre foi muito mais semelhante a Jesus do que eu. Dave é estável e imutável como uma rocha. É confortável viver com alguém assim porque você sempre sabe o que esperar.

Para dizer a verdade, às vezes eu costumava me irritar com Dave porque ele nunca ficava entusiasmado ou angustiado com nada. Era simplesmente parte de sua personalidade fleumática não demonstrar muita emoção. Por outro lado, eu compensava isso mais do que nunca, indo constantemente de um extremo ao outro, para cima e para baixo como uma montanha russa.

Você sabe quando minha montanha russa emocional finalmente começou a se estabilizar? Esse processo teve início quando comecei a me impor e a tomar a decisão determinada de que com a ajuda do Espírito Santo não seria mais daquela maneira.

Até decidir que não iria mais viver de acordo com os meus sentimentos, eu era cativa das minhas emoções. Eu me levantava um dia rindo e me sentindo bem, e no outro chorando e soluçando e sentindo pena de mim mesma. No dia seguinte eu voltava à tristeza. Cheguei ao ponto de não querer ter de enfrentar nenhum tipo de mudança em minha vida, porque sabia que isso geraria todo tipo de problemas emocionais com os quais eu não estava preparada para lidar. Então percebi que o que eu precisava era de maturidade e estabilidade emocional.

Dave me dava um excelente exemplo disso, e observá-lo fez com que eu desejasse ter a mesma maturidade e estabilidade emocional que o via demonstrar.

Todos nós precisamos ser estáveis. Costumamos fazer da prosperidade, do sucesso ou de outra coisa qualquer o nosso alvo, quando nosso primeiro objetivo deveria ser a maturidade emocional. Embora não possamos atingir essa maturidade e estabilidade por conta própria, Deus nos ajudará se realmente desejarmos mudar.

SEU DEUS É PODEROSO

O Senhor, o seu Deus, está em seu meio, poderoso para...

Sofonias 3:17

No Antigo Testamento, Eliseu se uniu ao profeta Elias e se tornou seu seguidor e discípulo porque ele queria ser forte no Senhor, assim como seu mestre.

Se você tem um problema emocional, precisa parar de se associar com pessoas que estão piores do que você. Em vez disso, passe tempo com aqueles que são espiritual e emocionalmente maduros.

Eu sabia que talvez nunca fosse tão forte e estável emocionalmente quanto Dave, porque nosso tipo de personalidade é completamente diferente. Mas estava determinada a chegar ao ponto de não ser atormentada e controlada pelas minhas emoções.

A Bíblia nos diz que o Senhor nosso Deus que habita dentro de cada um de nós é "poderoso". Poderoso para fazer o quê? Uma das coisas que esse Deus é "poderoso" para fazer em nós é nos ajudar a vencer nossas emoções e sermos guiados pela Sua Palavra e Espírito imutáveis, e não pelos nossos sentimentos e emoções instáveis.

O Seu Deus é capaz. Por que não confiar nele para ajudá-lo a desenvolver o mesmo tipo de maturidade e estabilidade emocional que marcaram a vida do Seu próprio Filho, Jesus Cristo, a nossa esperança de glória?

CRISTO: A ESPERANÇA DA GLÓRIA

> A eles quis Deus dar a conhecer entre os gentios a gloriosa riqueza deste mistério, que é Cristo em vocês, a esperança da glória.
>
> COLOSSENSES 1:27

Como crentes, nossa única esperança de glória é Cristo Jesus. Só Ele pode nos dar o que precisamos para vivermos de forma alegre e vitoriosa nesta vida.

Como vimos, Jesus é chamado de *a Rocha* porque era sólido é estável — Ele era sempre o mesmo, nunca mudava. Não era abalado por todas as coisas que nos abalam. As pessoas podiam tentar empurrá-lo de um penhasco, e mesmo assim Ele saía andando tranquilamente pelo meio delas.

Como Jesus podia fazer coisas assim? Ele podia fazer isso porque sabia que estava não mãos de Deus, e que ninguém poderia lhe fazer nada fora da vontade e do tempo de Deus. Ele descansava nesse conhecimento, e isso lhe dava uma sensação de paz e segurança inabaláveis. Em Marcos 4 Ele pôde declarar paz à tempestade porque nunca permitiu que a tempestade o "invadisse". Ele permaneceu calmo!

Este é mais ou menos o mesmo tipo de atitude e percepção que tenho visto em meu marido Dave. Se tivéssemos problemas com dinheiro, eu ficava preocupada, sem saber o que ia acontecer conosco. Dave simplesmente dizia: "Joyce, estamos dizimando e fazendo tudo que o Senhor nos disse para fazer. Deus sempre supriu as nossas necessidades antes, e Ele também irá supri-las desta vez. Por que devemos ficar nos sentindo infelizes, tentando imaginar o que fazer? Vamos relaxar e confiar no Senhor para que Ele trate de todas as coisas".

Se alguém começasse a falar negativamente sobre nós ou se levantasse contra nós ou tentasse instigar uma contenda entre nós, eu ficava nervosa e angustiada. Dave ficava totalmente sereno.

Eu dizia: "Dave, isto não lhe deixa maluco?!".

"Não", ele respondia. "Não temos problema algum. São todas essas pessoas que estão com problemas. O nosso coração está reto diante do Senhor, então por que devemos nos incomodar?".

Para a maioria de nós, esse tipo de estabilidade espiritual e emocional não vem naturalmente. Temos de desejá-la de todo o nosso coração. Temos de decidir que, custe o que custar, vamos tê-la. Temos de desenvolver uma fome por ela, como a fome de justiça de que Jesus falou no Sermão da Montanha (Mateus 5:6).

Temos de chegar ao ponto de estarmos decididos a desfrutar nossa herança espiritual.

A ESTABILIDADE EMOCIONAL COMO UMA HERANÇA ESPIRITUAL

> Nele fomos também escolhidos, tendo sido predestinados conforme o plano daquele que faz todas as coisas segundo o propósito da sua vontade, A fim de que nós, os que primeiro esperamos em Cristo, sejamos para o louvor da sua glória.
>
> EFÉSIOS 1:11-12

Precisamos chegar ao ponto de sabermos quem somos em Cristo e o que nos pertence por direito, como consequência de termo colocado a nossa confiança Nele.

A estabilidade emocional é parte da nossa herança espiritual. Não temos de viver em uma montanha russa emocional onde os nossos sentimentos sobem e descem de um dia para o outro. Em vez disso, devemos viver como Cristo viveu, com uma sensação de paz e segurança que vem de sabermos quem somos e a quem pertencemos.

Até que tomemos a decisão de reivindicarmos e desfrutarmos nossa herança, o inimigo continuará a roubar de nós o que Jesus morreu para nos dar — Sua paz e alegria que prevalecem dentro de nós mesmo em meio ao tumulto e à confusão e ao medo que nos cercam por todos os lados.

Em João 16:33 Jesus disse: "No mundo vocês terão tribulações. Animem-se! Eu venci o mundo". Não podemos nos animar até nos acalmarmos. Podemos desfrutar a vida mesmo quando todas nossas circunstâncias não forem maravilhosas. Mas não podemos ter alegria sem paz.

O ALVO DA ESTABILIDADE EMOCIONAL

Meu filho David e eu temos o mesmo tipo de personalidade colérica forte, de modo que costumávamos gritar um com o outro antes de aprendermos a submeter nossa personalidade ao Senhor.

Antes que eu aprendesse a depender do Espírito Santo para me ajudar a controlar os meus rompantes emocionais, vivia debaixo de um constante sentimento de condenação. Finalmente, parei de me sentir culpada pelos meus lapsos emocionais quando percebi que eu era um ser humano com uma natureza fraca, e que se fosse perfeita não teria necessidade de um Salvador Perfeito.

Jesus veio para ser o Sacrifício Perfeito por nós, porque não temos a capacidade de ser perfeitos no nosso homem natural. Precisamos nos lembrar desse fato quando somos tentados a sermos vencidos pela culpa e pela condenação toda vez que falhamos em controlar nossas emoções.

Por meio de uma série de experiências dolorosas com meu filho, aprendi que um pouco de humildade ensina uma lição muito maior do que a guerra. David começou a mudar quando eu comecei a mudar, e eu comecei a mudar quando finalmente passei a entender que embora eu tenha emoções, não preciso dar lugar a elas.

Não quero dizer que nunca mais tive emoções negativas, mas o ponto que estou tentando provar é que meu objetivo passou a ser controlar minhas emoções, e não ser controlada por elas. Porém, até chegar ao ponto de querer parar de dar lugar às minhas emoções de ira, autocomiseração e depressão, meus sentimentos eram um caos.

O que tive de fazer foi estabelecer para mim o alvo da estabilidade emocional. Tive de aprender a procurar não ser uma pessoa sem emoção, mas sim a ser equilibrada na minha vida emocional.

EQUILIBRADO

> Sejam sóbrios e vigiem. O diabo, o inimigo de vocês, anda ao redor como leão, rugindo e procurando a quem possa devorar. Resistam-lhe, permanecendo firmes na fé, sabendo que os irmãos que vocês têm em todo o mundo estão passando pelos mesmos sofrimentos.
>
> 1 Pedro 5:8-9

Ser sóbrio é ter domínio próprio. E ter uma mente sóbria é ter uma cabeça equilibrada. Assim, na passagem bíblica anterior, a mensagem para você e para mim é que devemos ser equilibrados, ter domínio próprio e uma cabeça equilibrada, além de sermos arraigados, firmados, fortes, imutáveis e determinados.

De acordo com essa passagem, como vamos derrotar o diabo e resistir aos seus ataques físicos e emocionais contra nós? Estando arraigados e firmados em Cristo. Satanás pode vir contra nós com sentimentos, mas não temos de nos submeter às nossas emoções. Podemos resistir com firmeza contra elas embora se levantem com fúria contra nós e até mesmo dentro de nós.

FIRMEZA E DESTEMOR

> Sem de forma alguma deixar-se intimidar por aqueles que se opõem a vocês. Para eles isso é sinal de destruição, mas para vocês de salvação, e isso da parte de Deus.
>
> Filipenses 1:28

Observe estas duas palavras "firmeza" e "destemor". Elas descrevem o temperamento como uma rocha que você e eu devemos demonstrar diante dos ataques e assaltos dos nossos oponentes e adversários — tanto físicos quanto espirituais.

Quando as pessoas ou acontecimentos se levantam contra nós para nos destruir, devemos permanecer firmes, confiantes de que tudo vai cooperar para o melhor. Não devemos mudar, mas sim permanecer constantes e deixar Deus fazer a mudança — das circunstâncias.

Quando surgirem problemas — e eles surgirão de tempos em tempos — não devemos supor que o Senhor intervirá sem convite e cuidará de todos os nossos problemas por nós. Devemos orar e pedir a Ele que mude as circunstâncias. Então devemos permanecer constantes e imutáveis, o que será sinal para o inimigo da sua queda e destruição iminentes.

Você sabe por que a nossa firmeza e destemor são sinal para Satanás de que ele vai cair? Por que ele sabe que a única maneira de vencer um crente é através do engano e da intimidação. Como ele pode ameaçar alguém que não tem medo dele? Como ele pode enganar alguém que reconhece as suas mentiras e se recusa a acreditar nelas? De que adianta tentar instigar o medo, a ira ou a depressão em alguém que não será abalado pelas emoções, mas que opta por permanecer firme na Palavra de Deus?

Quando o diabo vê que suas táticas não estão funcionando, ele percebe que está fracassando e que será completamente derrotado. Um bom exemplo desse tipo de firmeza destemida diante de circunstâncias assustadoras encontra-se no livro de Êxodo, quando os filhos de Israel pararam às margens do Mar Vermelho e viram o exército de Faraó vindo atrás deles para destruí-los.

> Moisés respondeu ao povo: Não tenham medo. Fiquem firmes e vejam o livramento que o Senhor lhes trará hoje, porque vocês nunca mais verão os egípcios que hoje vêem. O Senhor lutará por vocês; tão-somente acalmem-se.
>
> Êxodo 14:13-14

Quando confrontados com uma situação como a que os israelitas enfrentaram, devemos fazer o que foi dito a eles: permanecer constantes, manter a nossa paz, permanecer descansados, e deixar Deus lutar a nossa luta por nós.

MANTENDO-SE CALMO NO DIA DA ADVERSIDADE

> Como é feliz o homem a quem disciplinas, Senhor, aquele a quem ensinas a tua lei; tranqüilo, enfrentará os dias maus, enquanto que, para os ímpios, uma cova se abrirá. O Senhor não desamparará o seu povo; jamais abandonará a sua herança. Voltará a haver justiça nos julgamentos, e todos os retos de coração a seguirão.
>
> Salmo 94:12-15

O que o Senhor está nos dizendo nessa passagem? Ele está dizendo que trata conosco e nos disciplina por uma razão. Ele faz isso para que cheguemos ao ponto de podermos nos manter calmos no dia da adversidade.

Nos versículos 14 e 15 observe a ênfase na fidelidade e na justiça de Deus para conosco, a Sua herança, os que são intransigentemente justos. Podemos estar certos de que se estamos sendo obedientes à Palavra e à vontade de Deus e estamos sendo guiados pelo Seu Espírito Santo, não temos nada a temer dos nossos inimigos, porque o próprio Senhor lutará as nossas batalhas por nós.

Contudo, precisamos querer ser ajudados. Como vimos, nem Deus pode ajudar alguém que realmente não quer ser ajudado. Se você e eu realmente queremos ser ajudados, precisamos permanecer estáveis enquanto esperamos que Ele se mova em nosso favor.

PERMANECENDO ESTÁVEL

> Aquele que habita no abrigo do Altíssimo e descansa à sombra do Todo-poderoso.
>
> Salmo 91:1

Quando você e eu sentirmos que uma maré de emoções começa a se levantar dentro de nós, precisamos voltar ao lugar secreto do Altíssimo, clamando a Ele: "Pai, ajuda-me a resistir a esta explosão de emoções que ameaça me engolir!".

Se fizermos isso, o Senhor promete intervir em nosso favor. Precisamos aprender a nos refugiarmos debaixo da Sua sombra, onde estaremos seguros, sabendo que nenhum poder no céu ou na terra poderá se opor a Ele.

EVITANDO OS ALTOS E BAIXOS EMOCIONAIS

Em nossos esforços para desenvolvermos a maturidade emocional, precisamos tomar cuidado para evitar os dois extremos: os altos e os baixos.

A maioria de nós ouviu muitos ensinamentos sobre os baixos emocionais como o desânimo, a depressão, o abatimento e o desespero. Mas o Senhor me revelou que também precisamos evitar o outro extremo, que são os picos emocionais.

Deus me mostrou que se dermos lugar aos picos extremos estaremos tão desequilibrados quanto quando damos lugar aos baixos extremos. Para manter o equilíbrio emocional, precisamos ficar nivelados, em algum ponto entre ambos os extremos.

Pode ser difícil para algumas pessoas manter a estabilidade emocional porque elas são viciadas em excitação. Por algum motivo, elas simplesmente não conseguem se acalmar e viver uma vida diária comum, como todo mundo.

Essas pessoas precisam ter alguma coisa excitante acontecendo o tempo todo. Caso contrário, logo ficam entediadas e começam a procurar alguma coisa para "ligá-las". A busca delas por excitação geralmente leva ao estímulo emocional excessivo, e não à alegria firme e profunda que deve caracterizar a vida do crente.

Não é errado ficar empolgado, mas o excesso é perigoso.

O CALMO PRAZER DA ALEGRIA

> Tenho lhes dito estas palavras para que a minha alegria esteja em vocês e a alegria de vocês seja completa.
>
> João 15:11

Às vezes, nós crentes parecemos pensar que para sermos cheios da alegria do Senhor precisamos estar ligados, inflamados e superexcitados!

Jesus nos disse que a Sua alegria e o Seu prazer devem estar em nós em toda a sua plenitude. Mas isso não significa que devemos ficar nos balançando, pendurados nos lustres!

Sei que a palavra *alegria* muitas vezes foi definida por alguns professores e ministros como "diversão", e existe certo fundamento para essa definição. Mas de acordo com a concordância de Strong, o verdadeiro significado da palavra grega *chara*, traduzida por *alegria* em João 15:11 é "calmo prazer".

Gosto dessa definição porque eu a tenho visto sendo demonstrada no meu próprio casamento. Por mais de trinta anos observei meu marido Dave viver uma vida de calmo prazer, e isso tem sido uma grande benção para mim.

Dave compara esse tipo de calmo prazer a um ribeiro borbulhante que simplesmente fui silenciosamente e pacificamente, trazendo refrigério a tudo e a todos ao longo do seu caminho.

No entanto, muitos de nós somos como o oceano. Nossas emoções vêm e vão como a maré que ruge. Em um instante estamos explodindo e inundando tudo no nosso caminho, e no outro estamos correndo para trás e deixando destroços por toda parte.

Depois de anos vivendo esse tipo de vida de fluxo e refluxo, passei a desejar muito poder ter o tipo de existência pacífica que marcava a vida de meu marido. Entendo o estresse e o tumulto que podem ser causados pelos altos e baixos excessivos. Não estou dizendo que é errado se entusiasmar. Mas estou dizendo que precisamos tomar cuidado para não nos tornarmos pessoas superestimuladas, porque o exagero leva invariavelmente à desilusão e à decepção.

SEJA ADAPTÁVEL E AJUSTÁVEL

> Alegrem-se com os que se alegram; chorem com os que choram. Tenham uma mesma atitude uns para com os outros. Não sejam orgulhosos, mas estejam dispostos a associar-se a pessoas de posição inferior. Não sejam sábios aos seus próprios olhos.
>
> Romanos 12:15-16

Há um equilíbrio que precisa ser mantido nesta área tão delicada das reações emocionais adequadas.

Por exemplo, quando Dave me surpreendeu com o lindo relógio de ouro quatorze quilates que eu queria tanto, fiquei cheia de alegria, o que significa que eu senti um prazer calmo. Agradeci a Deus por ter um marido que me amava o bastante para fazer coisas tão boas para mim. Também agradeci ao Senhor por eu ter tido bom senso de deixar que Ele executasse o Seu plano para mim, em vez de tentar executá-lo por conta própria. Se tivesse comprado o relógio que achava que podia pagar, eu teria ficado com um relógio barato com o qual não teria ficado feliz por muito tempo.

Embora tivesse ficado satisfeita, não fiz o que teria feito dez anos antes. Não corri para o escritório para mostrar a todos o que estava no meu pulso. Eu me disciplinei para não contar a ninguém a respeito, a não ser meus filhos e amigos mais chegados.

Se alguém percebesse e dissesse: "Ah, você ganhou um relógio novo?", eu dizia: "Sim, Dave comprou-o para mim. Não foi gentil da parte dele?".

Muitas vezes retiramos a alegria e a benção que deveria existir entre nós e o Senhor porque quando Ele faz alguma coisa especial por nós corremos para todo lado, cheios de entusiasmo, nos gabando para as pessoas sobre o que aconteceu.

Mas este não é o fim da história. Exatamente na manhã seguinte percebi que o relógio não estava marcando a hora correta.

Pensei: "Ah, Dave não acertou o relógio direito".

Puxei o pino do relógio para acertá-lo, e o pino não girava os ponteiros. Eu não diria que fiquei desanimada, mas sim um pouco desapontada.

Minha filha Sandy me disse: "Mamãe, você realmente está calma para alguém que acaba de ganhar um relógio caro e descobriu que ele não está funcionando".

Sabe por que eu estava agindo assim? Porque pelo fato de não ter me permitido ficar excessivamente excitada com o relógio para início de conversa, não fiquei excessivamente aflita quando ele não funcionou direito. Se eu tivesse corrido para todo lado mostrando o relógio e me gabando dele para todos, teria permitido que ele se tornasse o centro da minha alegria. Então, quando descobrisse que ele não estava funcionando, eu teria ficado arrasada, e a minha alegria teria ido por água abaixo.

Precisamos aprender a desfrutar a vida e as boas coisas que chegam até nós sem ficarmos emocionalmente agitados. Deixe-me dar-lhe outro exemplo.

Há algum tempo, compramos uma casa nova exatamente quando eu estava aprendendo o que estou compartilhando com você sobre o calmo prazer. As pessoas ficavam me perguntando: "Você está empolgada com a sua casa nova?". A verdade é que eu não estava empolgada. Eu sentia um prazer calmo, mas não estava nem um pouco empolgada.

Eu sabia que a casa era um presente do Senhor, e aceitei-o com gratidão como tal. Sentia uma grande paz a respeito da casa, mas isso era tudo.

Havíamos vivido na casa anterior por dezessete anos, de modo que era tempo de mudar. A casa nova também representava um bom investimento. Assim, por esses motivos, eu estava cheia de um calmo prazer, mas realmente não estava emocionalmente excitada, de forma alguma. Também não me lamentei nem sofri quando saímos da casa onde havíamos vivido por dezessete anos. Nossos filhos cresceram nela. O primeiro estudo bíblico que dei foi ali, além de outras lembranças. Mas eu estava decidida a não me desgastar emocionalmente quando nos mudamos para a nova casa. Havia aprendido a me adaptar e a me ajustar às diferentes circunstâncias sem ficar emocionalmente agitada.

TÉDIO EMOCIONAL

Quando você começa a abrir mão do exagero emocional, durante algum tempo pode se sentir *entediado*.

Durante alguns meses depois que o Senhor me tirou do exagero emocional e me trouxe para um estado de calmo prazer, tive de literalmente lutar com o pensamento: "Isto é um tédio". Isso aconteceu porque, como muitos outros cristãos, eu havia ficado viciada em emoção.

VÍCIOS EMOCIONAIS

Eu havia passado tantos anos me preocupando e me afligindo, imaginando e raciocinando, confabulando e manipulando, surfando as "cristas" e os "tubos" das ondas emocionais, que quando minha mente foi levada a um estado de calmo prazer, minha carne passou por um trauma.

O Senhor usou essa experiência para me ensinar uma lição importante. Ele me mostrou que muitos de nós temos vícios emocionais. Assim como muitos outros, eu era tão viciada em me preocupar que se não tivesse nada para me preocupar, eu me preocupava por não ter nenhuma preocupação! Outras pessoas são tão viciadas na culpa que se não fizeram nada para se sentir culpadas, elas se sentem culpadas por não se sentirem culpadas!

Do mesmo modo, é possível se viciar na empolgação. Assim como um viciado em drogas corre por toda parte procurando uma "dose", os viciados em empolgação correm por aí procurando uma "dose" de excitação. Algumas pessoas simplesmente não sabem viver a vida comum de todos os dias.

Outras são tão compulsivamente voltadas para um ou mais objetivos, que estão sempre procurando um novo desafio. Assim que atingem um objetivo, ficam entediadas até poder encontrar algum novo objetivo para tentar alcançar.

Um jovem com essa característica trabalhou para nós por um tempo. Certo dia, ele me disse: "Acho que finalmente estou começando a perceber algo que tem sido muito difícil entrar na minha cabeça".

"O que é?" perguntei.

"Acho que finalmente estou começando a aprender que grande parte da vida se trata apenas de se levantar pela manhã e ir se deitar à noite, se levantar pela manhã e ir se deitar à noite".

Se nós, que somos focados em objetivos, pudéssemos aprender essa verdade, poderíamos poupar a nós mesmos e a todos que nos cercam muitas dores de cabeça! Talvez nem todos sejamos chamados para realizar um grande trabalho que vai sacudir a terra. A unção de Deus realmente é derramada para grandes obras, mas ela também é derramada para nos ajudar de forma sobrenatural a desfrutarmos a vida comum do dia a dia.

Como cristãos, fomos chamados para amar a Deus, para termos comunhão com Ele e com os nossos semelhantes, para sermos uma benção aonde formos, para trazermos um pouco de alegria para a vida das pessoas, para vivermos em harmonia com o nosso cônjuge, para criar os filhos que Ele nos der, e para simplesmente continuarmos "nos levantando pela manhã e indo deitar à noite" — e para fazermos isso alegremente, para Deus. O Salmo 100:2 nos diz para servirmos ao Senhor com alegria!

Haverá dias em que Deus trará empolgação às nossas vidas, mas não devemos passar a vida inteira procurando esses picos emocionais.

Às vezes, minhas reuniões são empolgantes, e fico feliz quando isso acontece. Imagino que o Senhor sabia que eu precisava de um pouco de encorajamento para me manter seguindo em frente. Mas até mesmo nesses momentos precisamos tomar cuidado, porque a empolgação cria uma fome por mais e mais empolgação. Se não tomarmos cuidado, terminaremos buscando a empolgação em vez de buscarmos a vontade de Deus. Podemos começar a pensar que se o culto não foi empolgante, havia algo errado. Posso sair de uma reunião me sentindo muito satisfeita, mas não empolgada.

Você e eu precisamos aprender a não sermos tão afetados pelas circunstâncias externas.

Nem todas as minhas reuniões são gloriosamente empolgantes. Uma casa nova é algo que só acontece uma ou duas vezes durante toda a vida. Raramente somos surpreendidos com um novo relógio de ouro. Muitos dias vêm e vão sem nenhum grande toque de trombetas na área emocional. Mas lembre, fomos ungidos com o Espírito Santo para lidar de forma adequada com a vida comum de todos os dias.

Nossos problemas começam quando nada está acontecendo, e então tentamos começar alguma coisa. Realmente precisamos de um pouco de variedade em nossa rotina diária. Mas também precisamos aprender a sermos guiados pelo Espírito e não pelos nossos próprios vícios emocionais.

Nem todo dia é feriado. Nem toda refeição é um banquete. Nem todo acontecimento é uma extravagância. Na maior parte do tempo, a vida simplesmente passa de uma forma regular e equilibrada.

É isso que devemos fazer. Devemos aprender a assumir o controle das nossas emoções, evitando as oscilações de humor que nos impedirão de desfrutar o contínuo e calmo prazer que Deus planejou para nós nesta vida.

Capítulo 6

Compreendendo e Superando a Depressão

Quase dei a este capítulo o título de "Viciados em Altos e Baixos". Na verdade, eu havia escrito este título nas minhas anotações, mas mudei de ideia. Pensei que você poderia achar que este capítulo é sobre drogas, mas ele absolutamente não trata do assunto.

Existem muitos "viciados em altos e baixos" no mundo, além dos que são viciados em drogas. Neste capítulo, pretendo mostrar que Satanás é aquele que traz os "baixos" e Jesus é Aquele que traz os "altos".

NO FUNDO DO POÇO

> Coloquei toda minha esperança no Senhor; ele se inclinou para mim e ouviu o meu grito de socorro. Ele me tirou de um poço de destruição, de um atoleiro de lama; pôs os meus pés sobre uma rocha e firmou-me num local seguro.
>
> SALMO 40:1-2

Quando a Bíblia fala de "poço", como nesta passagem do livro de Salmos, sempre penso nos abismos da depressão. Como veremos mais tarde, Davi costumava falar que sentia que estava descendo por um poço e clamando ao Senhor para que o resgatasse e colocasse seus pés em terreno sólido e nivelado.

Assim como Davi, ninguém quer estar no poço da depressão. É um lugar terrível. Não consigo pensar em um lugar pior para se estar. Além da depressão em si, há os pensamentos terríveis que Satanás traz de volta à memória enquanto estamos nesse estado de queda.

Quando estamos profundamente deprimidos, já nos sentimos mal o suficiente como estamos. Então o diabo vem e piora o nosso estado nos fazendo lembrar todas as coisas horríveis que pensamos, dissemos ou fizemos. O objetivo dele é nos fazer sentir tão desesperados e miseráveis a ponto de nunca lhe causarmos nenhum problema nem cumprirmos o chamado de Deus para nossa vida.

Precisamos aprender a resistir a esta descida ao poço da depressão onde ficamos vulneráveis ao atormentador das nossas almas, pois ele pretende nos destruir totalmente assim como destruir o nosso testemunho de Cristo.

TERRENO PLANO

> Livra-me dos meus inimigos, Senhor, pois em ti eu me abrigo. Ensina-me a fazer a tua vontade, pois tu és o meu Deus; que o teu bondoso Espírito me conduza por terreno plano.
>
> SALMO 143:9-10

Como vimos no último capítulo, se quisermos evitar os baixos extremos, uma coisa que precisamos fazer é evitar os picos extremos. Precisamos aprender a ter equilíbrio. Quando ficamos excessivamente agitados emocionalmente, inevitavelmente vamos cair. Quando isso acontece, geralmente não paramos no nível normal das emoções — o que Davi chamava de "terreno plano" — mas continuamos a mergulhar nas profundezas da depressão.

Realmente acredito que o que Davi estava falando no Salmo 143 não se tratava na verdade de terreno plano, mas de emoções equilibradas.

Uma mulher que trabalha com maníaco-depressivos (portadores de transtorno bipolar) certa vez me disse que, ao lidar com esses tipos, os funcionários de saúde mental precisam não apenas impedir que eles afundem na depressão profunda, mas também que subam ao topo das emoções — porque uma coisa leva à outra. O objetivo deles é manter os pacientes o máximo possível em um nível estável, em um ponto de equilíbrio emocional.

Como vimos, na qualidade de crentes, você e eu devemos nos manter o máximo possível em um nível estável. Devemos evitar ficar tão viciados no *emocionalismo* a ponto de termos de ficar constantemente no pico emocional, ou correremos o risco de cair nas profundezas da depressão. Em lugar de andarmos em uma montanha russa emocional de um extremo a outro, devemos andar na alegria do Senhor, que definimos como um calmo prazer.

COISAS QUE NOS DEPRIMEM

> Por que você está assim tão triste, ó minha alma? Por que está assim tão perturbada dentro de mim? Ponha a sua esperança em Deus! Pois ainda o louvarei; ele é o meu Salvador e o meu Deus.
>
> SALMO 43:5

A palavra "depressão" não aparece na Nova Versão Internacional da Bíblia, nem em outras versões mais utilizadas. O termo mais próximo que aparece ali é "tão triste", como vemos no Salmo 43:5, onde Davi pergunta: "Por que você está assim tão triste, ó minha alma?".

Entretanto, embora a depressão em si não seja mencionada pelo nome na Bíblia, há outros itens relacionados à emoção que são discutidos nela, tais como: desespero, desânimo, decepção, destruição, dívida, desassossego e divisão. Essas são apenas algumas das coisas que Satanás usa para tentar nos envolver pela depressão.

Todas estas palavras com "D" são o que se poderia chamar de precursores da depressão. Uma vez que todos nós temos de estar em guarda contra elas, estudei cada uma para aprender mais sobre elas e sobre os seus efeitos em nós como crentes.

DESESPERO

> Somos cercados de dificuldades (pressionados) por todos os lados [perturbados e oprimidos de todas as formas], mas não esmagados ou inibidos; sofremos constrangimentos e ficamos perplexos e somos incapazes de encontrar uma saída, mas não *levados ao desespero.*
>
> 2 Coríntios 4:8, AMP

O que é desespero? De acordo com o dicionário, o verbo *desesperar* significa "ser vencido por uma sensação de inutilidade ou derrota". O nome significa "1. Total ausência de esperança. 2. Algo que destrói toda a esperança".[1] Defino esta palavra como não saber o que fazer, ou estar completamente sem saída.

Todos nós sabemos o quanto nos sentimos frustrados quando sabemos que devíamos fazer alguma coisa com relação à nossa situação, mas não sabemos o que é. Não importa em que direção olhemos, parece não haver saída.

Mas para o crente há sempre uma saída de toda situação porque Jesus nos disse: "Eu sou o Caminho" (João 14:6).

Traz-me um grande consolo lembrar que embora haja momentos em que me sinto como o apóstolo Paulo — pressionada por todos os lados e perplexa porque parece não haver saída das minhas circunstâncias — o Senhor prometeu nunca me deixar nem me abandonar (Hebreus 13:5). Então, quando chego a um beco sem saída, não sou levada ao desespero porque sei que Ele me mostrará o caminho que devo seguir e me conduzirá à vitória.

DECEPÇÃO, DESÂNIMO, DESTRUIÇÃO

> Onde não há conselho, os projetos *decepcionam*; mas com a multidão de conselheiros se estabelecem.
>
> Provérbios 15:22, AMP

> Vejam, o Senhor, o seu Deus, põe diante de vocês esta terra. Entrem na terra e tomem posse dela, conforme o Senhor, o Deus dos seus antepassados, lhes disse. Não tenham medo nem se *desanimem.*
>
> Deuteronômio 1:21, ACRF

> Bendize, ó minha alma, ao SENHOR... Que redime a tua vida da *destruição*; que te coroa de benignidade e de misericórdia...
>
> SALMO 103:1-4, KJV

Todos nós ficamos decepcionados quando temos um plano que fracassa, uma esperança que não se materializa, um objetivo que não é alcançado.

Todos nós ficamos decepcionados quando as coisas não saem do jeito que queríamos. Ficamos decepcionados com tudo, desde um piquenique surpreendido pela chuva até à doença de um ente querido. Ficamos decepcionados quando o novo relógio que ganhamos não funciona direito ou quando o filho que esperávamos que se saísse bem não dá sinais disso.

Quando coisas assim acontecem, durante algum tempo ficamos abatidos, e esse abatimento pode levar à depressão caso não seja tratado de forma adequada.

É nesse momento que temos de tomar a decisão de nos adaptarmos e nos ajustarmos, de adotar uma nova abordagem, de simplesmente seguir em frente apesar dos nossos sentimentos. É quando precisamos nos lembrar de que temos Aquele que é Maior habitando dentro de nós, de modo que, independentemente do que aconteça para nos frustrar, ou de quanto tempo possa levar para que os nossos sonhos e alvos se tornem realidade, não vamos desistir e abrir mão só por causa das nossas emoções.

É então que precisamos nos lembrar do que Deus uma vez me disse em um momento como esse: "Quando você se decepcionar, pode sempre tomar a decisão de voltar seus olhos para o seu alvo!".

A decepção costuma levar ao desânimo, que é como uma espécie de droga que causa depressão. Todos nós experimentamos o sentimento depressivo que vem depois que fizemos o melhor para conseguir alguma coisa, mas nada acontece ou tudo desmorona completamente — o que é simplesmente outra forma de destruição.

Como é decepcionante e desanimador ver as coisas que amamos serem destruídas de forma insensata pelos outros, ou, o que é ainda pior, pela nossa própria negligência ou fracasso. Independentemente do que aconteça ou de quem possa ser responsável, é difícil seguir em frente quando tudo com o que contamos desaba à nossa volta. É quando aqueles de nós que temos o poder criador do Espírito Santo podemos ter uma nova visão, uma nova direção, e um novo objetivo para nos ajudar a superar o impulso da decepção, do desânimo e da destruição, que nos leva para baixo.

DÍVIDA

... pague suas *dívidas*...

2 Reis 4:7

Vimos que a Bíblia nos ensina que não devemos dever nada a ninguém, a não ser o amor. No versículo anterior, vemos que devemos pagar as nossas dívidas. Quando permitimos que as dívidas nos sobrecarreguem, isso pode gerar desânimo e até depressão.

Você já percebeu que geralmente são as emoções descontroladas que nos levam a contrair dívidas? Tentar viver além dos nossos meios porque queremos ter as coisas para o nosso próprio prazer pessoal ou por uma sensação de prestígio ou para impressionar outras pessoas, apenas nos leva à insolvência.

Quando Dave e eu éramos recém-casados, ficamos enrolados com as dívidas. Fizemos isso usando nosso cartão de crédito até o limite máximo comprando coisas que queríamos para nós e nossos filhos. Efetuávamos o pagamento mínimo do saldo todos os meses, mas os juros eram tão altos que parecia que nunca conseguíamos fazer nenhum progresso para pagar o que devíamos, Na verdade, cada vez nos afundávamos mais e mais nas dívidas.

O que gerou isso? As emoções e a falta de sabedoria.

Se você e eu quisermos chegar a algum lugar no Reino de Deus, precisamos aprender a viver de acordo com a sabedoria e não de acordo com o nosso desejo carnal, que é uma emoção humana (Provérbios 3:13).

A Bíblia ensina que Jesus se tornou sabedoria de Deus para nós, e que o Espírito Santo é sabedoria dentro de nós (1 Coríntios 1:30; Efésios 1:17). Se ouvirmos os apelos do Espírito, não nos envolveremos em problemas. Mas se vivermos segundo os ditames da carne, estaremos fadados à destruição.

A sabedoria toma hoje a decisão com a qual se sentirá confortável amanhã. A emoção faz o que é agradável hoje e não pensa no amanhã. Quando o amanhã chega, o sábio desfruta em paz e segurança, mas o tolo acaba desanimado e deprimido. Por quê? Porque o sábio se preparou para o amanhã e é capaz de desfrutar os frutos do seu trabalho, enquanto o tolo que colocou o prazer em primeiro lugar agora precisa pagar pelo ontem.

É muito melhor trabalhar agora e se divertir mais tarde, do que se divertir agora e se preocupar mais tarde!

É muito desanimador abrir a correspondência todos os dias e não encontrar nada a não ser contas, contas e mais contas. Finalmente esse desânimo leva à depressão por causa da pressão de não conseguir ver uma saída. Quando compramos coisas pelas quais não podemos pagar, estamos gastando hoje a prosperidade de amanhã. Então, quando o amanhã chega, tudo que temos são dívidas.

Quantas pessoas estão em profunda depressão neste instante por causa de dívidas avassaladoras?

Para viver uma vida disciplinada, necessária para produzir bons frutos em nossas vidas, temos de estar dispostos a investir hoje para podermos colher amanhã.

Para aliviar o desânimo e a depressão que resultam das dívidas, precisamos sair das dívidas nos tornando disciplinados para não pensar nos sacrifícios de hoje, mas nas recompensas de amanhã.

DOENÇA, DESASSOSSEGO E DIVISÃO

> Em seu grande poder, Deus é como a minha roupa, ele me envolve como a gola da minha veste.
>
> Jó 30:18

> Na minha aflição clamei ao Senhor; gritei por socorro ao meu Deus. Do seu templo ele ouviu a minha voz; meu grito chegou à sua presença, aos seus ouvidos.
>
> Salmo 18:6

> Irmãos, em nome de nosso Senhor Jesus Cristo suplico a todos vocês que concordem uns com os outros no que falam, para que não haja divisões entre vocês; antes, que todos estejam unidos num só pensamento e num só parecer.
>
> 1 Coríntios 1:10

A palavra "doença" significa simplesmente "desconforto". É uma forma de morte em menor escala. Se uma pessoa se sente mal o tempo todo, sua falta de conforto pode facilmente arrastá-la para a depressão. Por esse motivo, dizemos que a doença é algo que nos deprime.

Estar em desassossego é se sentir perturbado ou estar cheio de "ansiedade ou sofrimento".[2] Isso também é uma coisa que nos deprime e que pode levar a um estado de depressão se não for tratado imediatamente e da forma adequada.

Como vemos em 1 Coríntios 1:10, divisão se refere a dissensão, facção, desarmonia, discórdia ou conflito. Para muitas pessoas como eu, a divisão também é uma coisa que nos deprime.

Odeio desarmonia e dissensão. Detesto discussões e brigas. Não suporto facções e divisões. Eu costumava ser brigona e estava sempre provocando situações. Agora amo a paz, a harmonia e a tranquilidade. Nada me deixa mais triste do que a divisão — seja dentro de mim mesma ou entre aqueles a quem mais amo, como os membros de minha família. Estou certa de que Deus sente o mesmo pela Sua família.

A divisão, assim como todas as outras coisas que nos deprimem, resulta de seguirmos os sentimentos em vez de seguirmos o Espírito, como lemos em Tiago 4:1: "De onde vêm as guerras e contendas que há entre vocês? Não vêm das paixões que guerreiam dentro de vocês?".

O resultado final de todas essas coisas que nos deprimem é o mesmo: emoções inconstantes, que mais cedo ou mais tarde levam ao sofrimento e à destruição.

COISAS QUE NOS LEVANTAM

> Senhor, como se têm multiplicado os meus adversários! São muitos os que se levantam contra mim. Muitos dizem da minha alma:

> Não há salvação para ele em Deus. Porém tu, Senhor, és um escudo para mim, a minha glória, e o que *exalta a minha cabeça.*
>
> Salmo 3:1-3, ACRF

Embora nesta vida haja coisas que nos deprimem, também existem coisas que nos levantam. Na passagem, o salmista diz que apesar da sua situação de desassossego, ele não está desesperado nem deprimido porque sua confiança é o Senhor, aquele que levanta a sua cabeça.

Em Hebreus 12:12 nos é dito: "Portanto, fortaleçam as mãos enfraquecidas e os joelhos vacilantes". E em 1 Timóteo 2:8 o apóstolo Paulo escreveu: "Quero, pois, que os homens orem em todo lugar, levantando mãos santas, sem ira e sem discussões".

Quando estamos deprimidos, tudo ao nosso redor começa a desmoronar e a perder a força. Nossa cabeça, nossas mãos e nosso coração começam a ficar descaídos. Até os nossos olhos e a nossa voz ficam baixos.

Essa posição e atitude de abatimento pode nos deprimir ainda mais. Quando estamos nessa posição de abatimento, o Senhor nos diz, como disse a Abraão: "Levanta agora os teus olhos, e olha desde o lugar onde estás, para o lado do norte, e do sul, e do oriente, e do ocidente" (Gênesis 13:14, KJV).

Os nossos olhos e corações estão para baixo porque estamos olhando para o problema e não para o Senhor. Em Gênesis 13, lemos que os pastores de Abraão e os de seu sobrinho Ló estavam discutindo e brigando porque não havia espaço suficiente para os rebanhos de ambos pastarem juntos. Então Abraão sugeriu que Ló fosse para um lado, e ele fosse para o outro. Ele deu a Ló a chance de escolher para que lado ir, e o seu sobrinho escolheu as melhores terras. Abraão ficou com as terras mais pobres para si e para seus servos e seus rebanhos. Àquela altura, o Senhor lhe disse para erguer os olhos e olhar em volta, em todas as direções, pois Ele estava lhe dando toda a terra, tanto quanto ele podia ver, como herança, prometendo abençoá-lo e multiplicá-lo abundantemente.

Esta é uma boa lição para lembrarmos hoje. Quando as pessoas nos decepcionam, em vez de ficarmos desanimados e deprimidos, o Senhor quer que decidamos erguer nossa cabeça e nossos olhos e olhemos em volta, confiando Nele para nos levar a uma situação melhor, porque Ele tem isso para nós. É muito tentador dizer: "Ah, de que adianta?" e simplesmente desistir em vez de seguir em frete em uma nova direção como Abraão fez.

O Senhor está constantemente nos exortando a erguermos nossos olhos e nossas cabeças e corações para contarmos nossas bênçãos e não nossos problemas, para olharmos para Ele em lugar de olharmos para o mal que Satanás quer nos causar, porque Deus tem planos de nos abençoar e de nos multiplicar abundantemente.

Não importa como sua vida chegou a este ponto, você só tem duas opções. Uma é desistir e abandonar tudo. A outra é continuar prosseguindo. Se você decidir continuar prosseguindo, mais uma vez terá duas escolhas: uma é viver em constante depressão e miséria. A outra é viver com esperança e alegria.

Escolher viver com esperança e alegria não significa que você nunca mais terá que enfrentar decepções ou situações desanimadoras. Significa apenas que você decidiu não permitir que elas o abatam. Em vez disso, você vai erguer seus olhos, suas mãos, sua cabeça e seu coração, e olhar não para os seus problemas, mas para o Senhor, que prometeu conduzi-lo à abundância e à vitória.

Satanás quer colocar você para baixo, mas Deus quer levantar você.

Qual dos dois você vai escolher? As coisas que nos deprimem ou as coisas que nos levantam?

O ESPÍRITO SANTO É QUEM NOS LEVANTA

> E eu rogarei ao Pai, e ele vos dará outro Consolador (Conselheiro, Ajudador, Intercessor, Advogado, Fortalecedor, e Suplente), para que fique convosco para sempre.
>
> João 14:16, AMP

Você sabia que o ministério do Espírito Santo inclui o ministério de levantar pessoas? Quando Jesus subiu aos céus, Ele disse aos Seus discípulos: "Vou pedir ao Pai para enviar o Espírito Santo sobre vocês para ser o seu Consolador".

A palavra grega de onde a palavra "Consolador" é traduzida neste versículo é *parakletos* [3], que significa "Chamado para o lado de alguém; para ajudar alguém..."[4] Em outras palavras, o Consolador é Aquele que vem para ficar ao nosso lado para nos encorajar, edificar e exortar.

Tudo que o Espírito Santo faz é nos manter para cima.

Cada um de nós tem de enfrentar e lidar com decepções e com pessoas e situações desanimadoras todos os dias de nossas vidas. Recebemos o Espírito Santo para nos ajudar a fazer isso. Ele é Aquele que nos levanta constantemente para impedir que fiquemos deprimidos.

PROSSEGUIR PARA O ALVO OU EMPURRAR PARA BAIXO?

> Irmãos, não penso que eu mesmo já o tenha alcançado, mas uma coisa faço: esquecendo-me das coisas que ficaram para trás e avançando para as que estão adiante, prossigo para o alvo, a fim de ganhar o prêmio do chamado celestial de Deus em Cristo Jesus.
>
> FILIPENSES 3:13, 14

Como mencionei, a palavra "depressão" (ou "deprimir") não aparece nas versões mais utilizadas da Bíblia, então a procurei no dicionário. De acordo com o dicionário *Webster*, deprimir significa: "1. Abater no espírito: ENTRISTECER. 2. Empurrar para baixo: ABATER. 3. Diminuir a atividade ou a força de: ENFRAQUECER".[5]

Quando Satanás se levanta contra você e contra mim para nos deprimir, ele está tentando abater o nosso espírito, nos entristecer, nos empurrar para baixo, diminuir a nossa atividade e a nossa força para Deus. Ele está tentando nos impedir de seguirmos em frente, porque um dos sinônimos da palavra "deprimido" é "retrógrado".[6]

Satanás quer usar a depressão para "desligar o nosso interruptor de energia" para nos empurrar para trás, ao passo que Deus quer nos dar poder e nos empurrar para frente.

A questão é, estamos prosseguindo para o alvo ou estamos sendo empurrados para baixo?

OS EFEITOS DA DEPRESSÃO

Uma das definições do dicionário para a palavra *depressão* é "uma área afundada abaixo da área que a cerca: ÔCO".[7]

Satanás quer nos arrastar para baixo para uma posição de afundamento para que estejamos abaixo de todos os demais e fiquemos ocos por dentro.

A definição psiquiátrica para *depressão* é "um estado de neurose ou psicose marcado por uma incapacidade de se concentrar...".[8]

Em extrema depressão, uma pessoa pode ficar tão incapaz de se concentrar a ponto de ser levada cativa por Satanás.

Em minha própria vida, estive em um estado tão deprimido que podia ler a mesma frase em um livro sem parar e ainda não conseguir captar o que ela estava dizendo. Por quê? Porque a minha mente não estava funcionando adequadamente.

Embotamento, "incapacidade de se concentrar, insônia, e sentimentos de desalento e culpa"[9] e até um isolamento completo ou parcial da sociedade são todos sintomas de extrema depressão.

Algumas vezes eu ficava tão deprimida que não queria ver ninguém e nem mesmo me vestir. Só queria ficar sentada em um quarto escuro completamente só e sentir pena de mim mesma. A única coisa que eu fazia para passar o tempo era assistir algum filme sentimental na televisão que me fizesse ter um ataque de choro durante a noite inteira.

Na verdade, quando Dave e eu nos casamos fiquei tão deprimida que pensei que eu quisesse cometer suicídio. Então marquei hora para falar sobre isso com meu pastor.

Quando nos encontramos, eu havia me penteado cuidadosamente para a ocasião, como sempre faço quando saio. Assim que entrei no gabinete dele, eu disse: "Pastor, acho que vou me matar".

"Não, você não vai", disse ele.

"Ah, sim, eu vou", respondi.

"Não, você não vai", ele repetiu. "As pessoas que estão planejando cometer suicídio não se dão ao trabalho de pentear o cabelo, colocar maquiagem e se arrumar".

Então ele estourou a minha bolha completamente.

O que eu estava sentindo não era uma depressão suicida, mas simplesmente uma forma suave, mas miserável, que havia surgido por eu dar ouvidos ao inimigo em vez de dar ouvidos ao Senhor.

CAUSAS DA DEPRESSÃO

Quais são as causas da depressão? Há muitas. Uma delas é a *culpa*.

Algumas pessoas estão tão sobrecarregadas pela depressão gerada por um sentimento de culpa que precisam ser hospitalizadas. Durante meu ministério, encontrei pessoas que estavam em estado catatônico porque se culpavam por alguma coisa — ou por tudo — que aconteceu em suas vidas.

Um motivo pelo qual precisamos resistir às tentativas de Satanás de nos empurrar para baixo, para o desespero e a depressão, é evitar acabamos em um estado que tenhamos de ser hospitalizados ou fiquemos catatônicos. A Palavra não promete que nunca seremos atacados pela decepção, pelo desânimo, ou por qualquer dessas outras emoções negativas, mas nos assegura que quando elas cruzarem o nosso caminho, poderemos nos defender com êxito contra elas porque temos o Espírito da Verdade dentro de nós para nos ajudar. Como vimos antes, o Salmo 34:19 diz: "O justo passa por muitas adversidades, mas o Senhor o livra de todas".

Nunca suponha que só porque é um cristão, você está isento dos ataques do inimigo ou além do alcance dos seus estratagemas. Apenas saiba que quando o ataque vier, você tem o poder de Deus dentro de você para resistir e vencer o que quer que seja enviado para destruí-lo.

A vitória vem quando você reconhece que está sendo atacado e sabe o que fazer para derrotar o inimigo que está por trás do ataque.

O mundo pode ser passivo, mas você e eu precisamos ser ativos. O mundo pode agir na carne, mas nós precisamos agir pelo Espírito que vive em nós e está ali para nos fortalecer, para nos guiar e para nos revestir de poder.

Outra causa da depressão é o *complexo de inferioridade*.

Todos nós temos pontos fortes e pontos fracos. Precisamos encarar a verdade sobre nós mesmos, mas precisamos não nos menosprezar por causa das nossas fraquezas humanas. Devemos simplesmente aprender a não mantermos a nossa atenção concentrada em nós mesmos o tempo todo. Em vez disso, precisamos permitir que o Espírito Santo dirija nossa mente a qualquer verdade que Ele queira que enfrentemos.

A terceira causa da depressão é a *mudança*.

Muitas vezes o motivo pelo qual temos tantos problemas com os nossos sentimentos é porque existe algum tipo de desequilíbrio químico no nosso corpo. Ora, isso não significa que devemos colocar a culpa de todos os sentimentos de depressão nas mudanças físicas ou químicas, mas que esta é uma possível causa a ser levada em consideração.

Lidei com pessoas que chegaram ao ponto de se tornarem propensas ao suicídio, e descobri que não havia nada realmente errado com elas mental ou emocionalmente, apenas fisicamente. Quando o problema físico foi tratado com eficácia, elas puderam voltar a uma vida normal.

Em minha própria vida, passei por três cirurgias importantes. Em cada uma delas, a equipe médica me advertia que algum tempo depois de receber alta do hospital eu provavelmente passaria por um período em que me sentiria deprimida. Foi-me dito que isso é uma parte normal da nossa constituição física.

Embora eu achasse que isso não aconteceria comigo, e que ainda que acontecesse eu simplesmente repreenderia no nome de Jesus, passei por isso depois da minha primeira cirurgia. E foi um problema muito maior do que eu havia previsto. Na cirurgia seguinte, eu estava muito mais preparada para lidar com aquilo.

Outras mudanças na área médica incluem as mudanças da menopausa para as mulheres e a crise da meia idade para os homens. Geralmente, quando as pessoas não cuidaram adequadamente do seu corpo na juventude, na meia idade os problemas começam a aparecer.

À medida que as mulheres passam pela perda do estrogênio, o hormônio feminino, por exemplo, elas podem começar a passar por mudanças em seu corpo que têm um efeito intenso em sua mente e em suas emoções.

Mais ou menos do mesmo modo, em certa idade os homens que sempre estiveram no controle de suas vidas podem de repente começar a sentir que a vida está passando por eles e começar a agir de maneira estranha, o que geralmente é apenas uma forma diferente de depressão.

Outro tipo de mudança é aquele que ocorre dentro da nossa rotina ou existência diária. Coisas como mudar de emprego ou se mudar de um lugar para outro, iniciar uma nova carreira, ou até se casar e formar uma família, podem gerar um estresse emocional que precisa ser tratado.

Qualquer tipo de mudança importante, até uma mudança positiva como ter um bebê ou se aposentar, pode gerar depressão, e muitas vezes não estamos sequer cientes do que está causando o problema.

Outra causa da depressão é o *medo.*

Temer algo abre a porta para Satanás intensificar aquilo que está causando o medo e torná-lo ainda pior. O próprio medo é uma reação à mudança, ao desconhecido. Uma coisa que precisamos entender é que embora o medo seja uma reação natural às várias mudanças pelas quais todos nós passamos na vida, ele não tem de nos destruir. Com a ajuda do Espírito Santo dentro de nós, podemos aprender a encarar nosso medo e controlá-lo como qualquer outra emoção.

Como vimos, entre as muitas outras causas da depressão estão os *problemas espirituais* como a falta de perdão, a autopiedade e a punição do Senhor. Também vimos que acumular dívidas altas por seguirmos as nossas emoções em lugar de seguirmos a sabedoria de Deus causará depressão.

Algumas pessoas entraram em depressão por resistirem ou evitarem o chamado do Senhor para suas vidas. Em vez seguirem em frente com o que Ele as chamou para fazer, elas se tornam desobedientes e tentam viver de acordo com seus próprios planos e desejos. O resultado em geral se manifesta de uma maneira física, mental ou emocional, como a doença ou a depressão.

Seja qual for a causa da depressão — quer seja física, mental, espiritual ou uma combinação desses fatores — há uma solução. Ela se encontra na Palavra de Deus. Vamos ver o exemplo de Davi, um homem segundo o coração de Deus, e verificar como ele lidou com essa coisa chamada depressão.

COMO DAVI LIDOU COM A DEPRESSÃO

> Por que você está assim tão triste, ó minha alma? Por que está assim tão perturbada dentro de mim? Ponha a sua esperança em Deus! Pois ainda o louvarei; ele é o meu Salvador e o meu Deus.
>
> SALMO 42:5

Neste versículo, Davi deixa claro que está tendo um problema com a depressão. Eu gostaria que examinássemos como ele lidou com essa dificuldade, porque isso mostra que há uma cura para a depressão.

Ao analisar cada frase do versículo, vemos três coisas diferentes que Davi faz em resposta aos sentimentos de depressão.

Ele começa se colocando de lado e olhando para sua alma que está se sentindo deprimida. Primeiramente, ele faz uma pergunta à sua própria alma: "Por que você está assim tão triste?". Então ele dá uma instrução a ela: "Ponha a sua esperança em Deus". Finalmente, ele declara o que vai fazer: "Vou louvar o Senhor". Poderíamos dizer que Davi tem uma conversa consigo mesmo.

Precisamos seguir esse padrão de ação quando confrontamos os nossos sentimentos de depressão. Cada um de nós recebeu o livre arbítrio. Não devemos permitir que Satanás assuma o controle desse livre arbítrio, embora seja exatamente isso que ele irá tentar fazer.

Deus nunca tenta assumir o controle do nosso livre arbítrio. A Bíblia ensina que o Espírito Santo nos impulsiona, nos guia, nos conduz e nos dirige. Mas ela nunca diz que Ele tenta nos forçar, pressionar ou fazer com que façamos algo que não queremos fazer.

No entanto, Satanás está constantemente tentando nos forçar, pressionar e fazer com que façamos coisas que *não* queremos fazer.

Então, na nossa luta contra a depressão e contra todas as outras emoções negativas, uma coisa que temos do nosso lado é o nosso livre arbítrio.

Agora, vamos conhecer o plano de Davi para vencer a depressão.

LOUVE A DEUS

Somos ensinados repetidamente que uma das curas para a depressão é louvar a Deus. Quando estamos deprimidos, o plano de ação a ser tomado é se vestir e ir a uma reunião de adoração, em algum lugar, para podermos adorar e engrandecer o Senhor. Devemos ouvir músicas de louvor e pregações sem cessar e cantar ao Senhor, gerando alegria em nossos corações, independentemente de como estamos nos sentindo.

Isso é mais ou menos o que Davi está dizendo à sua alma, aos seus sentimentos. Ele está dizendo que independentemente de como está se sentindo por dentro, ele vai erguer a sua voz em louvor e ações de graças ao Senhor, colocando a sua esperança em Deus. Tomando uma atitude como mencionado anteriormente, como cantar, sair e estar com outras pessoas, ouvir coisas edificantes, estamos "colocando vestes de louvor", o que Isaías 61:3 afirma que nos foi dado em troca do "espírito angustiado".

Deus nos dá o que precisamos para andar em vitória, mas precisamos "vestir" ou usar essas coisas. Quando nos "sentimos" deprimidos, não "sentimos" vontade de cantar. Mas se fizermos isso em obediência à Palavra de Deus, descobriremos que o que Deus nos oferece na verdade vence ou derrota o que Satanás tenta levantar contra nós. Em outras palavras, Satanás tenta nos puxar para baixo através de sentimentos negativos chamados de depressão. Deus nos ergue acima da depressão quando cantamos palavras de esperança e músicas inspiradoras.

LEMBRE-SE DO SENHOR

> Ó meu Deus. A minha alma está profundamente triste; por isso de ti me lembro desde a terra do Jordão, das alturas do Hermom, desde o monte Mizar.
>
> SALMO 42:6

Quando você e eu estamos para baixo, o que o diabo quer trazer à nossa memória? Cada coisa asquerosa, podre e imunda que já aconteceu conosco e cada coisa vergonhosa, detestável e desprezível que já fizemos. Ele quer que fiquemos sentados, olhando para o chão, relembrando a nossa miséria.

Ao mesmo tempo, o Senhor quer que levantemos os nossos olhos, as nossas mãos, as nossas cabeças e o nosso coração e cantemos louvores a Ele em meio à nossa situação miserável.

Você se lembra do que o rei Saul fez quando estava sendo atacado por um espírito maligno? Ele mandou chamar Davi para tocar a harpa e tranquilizar seu espírito perturbado (1 Samuel 16:14-23).

A qualquer momento em que sinta seu espírito *começar* a afundar na depressão, você precisa tomar uma atitude imediata. Não espere até estar no poço por dias para começar a fazer alguma coisa a fim de elevar seu espírito.

Quando Davi sentiu que estava afundando, ele se lembrou do Senhor e das coisas boas que Ele havia feito por Davi no passado. Por que ele fez isso? Porque isso o ajudou. Essa lembrança o tirou do poço de lama para onde ele estava escorregando.

CANTE, ORE, ESPERE, AGUARDE E LOUVE

> Abismo chama abismo ao rugir das tuas cachoeiras; todas as tuas ondas e vagalhões se abateram sobre mim. Conceda-me o Senhor o seu fiel amor de dia; de noite esteja comigo a sua canção. É a minha oração ao Deus que me dá vida. Por que você está assim tão triste, ó minha alma? Por que está assim tão perturbada dentro de mim? Ponha a sua esperança em Deus! Pois ainda o louvarei; ele é o meu Salvador e o meu Deus.
>
> SALMO 42:7-8, 11

Quando Davi estava deprimido, disse que a canção do Senhor estava com ele, um louvor ao Deus da sua vida.

Então, no versículo 11, ele seguiu em frente dizendo que quando o seu homem interior, a sua alma, gemia dentro dele (como a nossa alma geme dentro de nós cheia de autopiedade!), ele colocou sua esperança no Senhor, esperou com confiança Nele, e louvou Aquele que era a sua salvação.

Em 1 Samuel 30:6, quando Davi foi confrontado pelos seus próprios homens que o consideraram responsável pelo rapto de suas famílias, lemos que Davi "... ficou profundamente angustiado, pois os homens falavam em apedrejá-lo; todos estavam amargurados por causa de seus filhos e suas filhas. Davi, porém, fortaleceu-se no Senhor seu Deus".

O que Davi fez para superar a forte depressão é o que você e eu devemos fazer para vencê-la quando nossas almas forem amargamente atribuladas e desencorajadas.

VENÇA E LEVANTE-SE!

> O inimigo persegue-me e esmaga-me ao chão; ele me faz morar nas trevas, como os que há muito morreram. O meu espírito se desanima; o meu coração está em pânico.
>
> Salmo 143:3-4

O que o inimigo fez com Davi é exatamente o que o diabo quer fazer conosco. Ele está sempre tentando capturar e perseguir a nossa alma, esmagar a nossa vida ao chão, fazer com que habitemos em lugares de trevas, oprimir o nosso espírito fazendo com que ele desmaie dentro de nós, e nos envolver em sombras para que o nosso coração fique paralisado.

Satanás quer usar a nossa alma, a nossa mente e as nossas emoções para chegar ao nosso espírito, ao nosso coração. Ele quer esmagar a própria vida e tirá-la de nós para que fiquemos imóveis e incapazes de fazer qualquer coisa contra o seu reino de trevas.

Embora nós, cristãos, estejamos sujeitos aos mesmos sentimentos e emoções, fadigas e estresses que todos os demais, deve haver uma diferença entre nós e o mundo. Quando as pessoas do mundo ficam sobrecarregadas e desistem, nós devemos vencer e nos levantar!

Como fazer isso? Fazendo o que Davi fez em meio à dor.

RECORDE, MEDITE, CONSIDERE, ESTENDA E ELEVE

> Eu me recordo dos tempos antigos; medito em todas as tuas obras e considero o que as tuas mãos têm feito. Estendo as minhas mãos para ti; como a terra árida, tenho sede de ti. Apressa-te em responder-me, Senhor! O meu espírito se abate. Não escondas de

> mim o teu rosto, ou serei como os que descem à cova. Faze-me ouvir do teu amor leal pela manhã, pois em ti confio. Mostra-me o caminho que devo seguir, pois a ti elevo a minha alma.
>
> SALMO 143:5-8

O que Davi está fazendo nessa passagem? Está clamando pela ajuda do Senhor.

Quando você e eu sentirmos que estamos afundando no poço da depressão, podemos fazer o que Davi fez. Podemos recordar os tempos antigos. Podemos meditar em todos os feitos do Senhor em nosso favor. Podemos considerar as poderosas obras das Suas mãos. Podemos estender as nossas mãos em oração e súplicas a Ele. Podemos clamar para que Ele nos responda apressadamente porque estamos descansando e confiando Nele. Podemos elevar a nossa alma, o nosso homem interior, a Ele.

Todas essas coisas constituem um ato de fé, e o Senhor prometeu sempre responder à fé. Se estivermos debaixo de um ataque menor, pode ser que leve apenas algumas horas ou dias. Mas se estivermos debaixo de um ataque maior, pode levar mais tempo. Contudo, por mais que demore, precisamos permanecer firmes e continuar a clamar a Deus até que Ele ouça e responda às nossas súplicas por ajuda.

Mais cedo ou mais tarde o Senhor nos livrará, assim como Ele livrou Davi de todos os seus ais.

BUSQUE O TERRENO PLANO

> Livra-me dos meus inimigos, Senhor, pois em ti eu me abrigo. Ensina-me a fazer a tua vontade, pois tu és o meu Deus; que o *teu bondoso Espírito me conduza por terreno plano.* Preserva-me a vida, Senhor, por causa do teu nome, por tua justiça, tira-me desta angústia. E no teu amor leal, aniquila os meus inimigos; destrói todos os meus adversários, pois sou teu servo.
>
> SALMO 143:9-12

Nos versículos finais deste salmo, Davi clama ao Senhor para livrá-lo dos seus inimigos, porque ele correu até Ele para ter ajuda e proteção. Ele pede ao Senhor que o ensine a Sua vontade e deixe que o Seu Espírito o conduza por um terreno plano.

Como vimos, o que Davi estava pedindo quando falou de um terreno plano eram emoções equilibradas.

Seguro quanto a quem era e a quem pertencia, Davi pôde colocar-se nas mãos do Senhor e permitir que Ele tirasse sua vida dos problemas, o libertasse do sofrimento, punisse seus inimigos, e fizesse com que ele tivesse vitória sobre todos aqueles que estavam afligindo sua alma, porque ele pertencia ao Senhor.

Você e eu devemos nos colocar nas mãos de Deus e permitir que Ele se mova em nosso favor para termos a nossa vitória sobre o diabo e resistir às suas tentativas de nos arrastar para as profundezas da depressão e do desespero.

LUTE!

> Bendito seja o Senhor, a minha Rocha, que treina as minhas mãos para a *guerra* e os meus dedos para a *batalha*. Ele é o meu aliado fiel, a minha fortaleza, a minha torre de proteção e o meu libertador, é o meu escudo, aquele em quem me refugio. Ele subjuga a mim os povos.
>
> SALMO 144:1-2

Nos versículos de abertura do salmo seguinte, Davi continua a louvar o Senhor que é a sua Rocha, a sua Força, o seu Amor, o seu Escudo, e Aquele em Quem ele se refugia e Quem subjuga os seus inimigos.

Mas observe que Davi diz que o Senhor subjugou os povos "a mim", querendo dizer que Davi teve um papel a ser exercido na sua própria libertação.

No versículo 1, ele disse que foi o Senhor Quem treinou as mãos dele para a guerra e os seus dedos para a batalha. Essa é a pista para a cura da depressão. Precisamos fazer o que Davi fez. Precisamos reconhecê-la, submetê-la ao Senhor, clamar pela ajuda Dele, e depois lutar contra a depressão na força e no poder do Espírito Santo.

Como lutamos contra ela? Passando tempo com Deus. Declarando a Sua Palavra. Erguendo os nossos olhos, a nossa cabeça, as nossas mãos, e o nosso coração e oferecendo o sacrifício de louvor e ações de graças ao Senhor, nossa Rocha e Força, nosso Amor e Fortaleza, nossa Torre Forte e nosso Libertador, Aquele em quem confiamos e em quem nos refugiamos, Aquele que sujeita os nossos inimigos.

Capítulo 7

Ele Refrigera a Minha Alma

Até agora, vimos como não ser guiados pelas nossas emoções, como encontrar cura para as emoções feridas, como superar a falta de perdão que afeta as nossas emoções, como evitar as oscilações de humor que podem gerar esses problemas emocionais, e como derrotar a depressão que ameaça destruir todo o nosso sistema emocional.

Agora, neste capítulo, vamos tratar da restauração de toda a nossa alma — nossa mente, vontade, e principalmente nossas emoções — como descrito por Davi no Salmo 23.

REFRIGERANDO E RESTAURANDO A ALMA

> O SENHOR é o meu pastor, nada me faltará. Deitar-me faz em verdes pastos, guia-me mansamente a águas tranqüilas. Refrigera a minha alma; guia-me pelas veredas da justiça, por amor do seu nome.
>
> SALMO 23:1-3, ARA

O Salmo 23 é muito confortante. Nele, o salmista Davi nos diz que é o Senhor que nos guia, nos alimenta, nos conduz e nos ampara, que faz com que deitemos e descansemos, que refrigera e restaura nossa vida, ou, como diz a versão Almeida Revista e Atualizada, a nossa alma.

É com a nossa alma que o nosso corpo entra em contato com o mundo, e é com o nosso espírito que entramos em contato com Deus. A nossa alma tem muito a ver com a nossa personalidade, como discutimos em um capítulo anterior.

Quando Davi diz que Deus o guia pelas veredas da justiça, da retidão e da posição reta diante Dele, ele está dizendo que Deus guia cada um de nós no caminho certo para nós individualmente.

Deus tem um caminho predestinado para cada um de nós. Se permitirmos que Ele faça isso, Ele nos guiará pelo Seu Santo Espírito para o caminho exclusivo que leva ao cumprimento do Seu destino planejado para nós.

As palavras da versão *King James* no versículo 3 são: "Ele restaura a minha alma...". A *Amplified Bible* traduz este versículo dizendo: "Ele refrigera e restaura a minha vida (o meu ser)...". A palavra *restaurar* significa: "1. Trazer de volta à existência ou ao uso. 2. Trazer de volta ao estado original. 3. Colocar (alguém) de volta em uma posição anterior (restaurar o monarca ao trono). 4. Fazer restituição de: *devolver*..."[1] "restituir, fazer restituir, restaurar a uma condição anterior"; [2] refrigerar.

Quando Davi diz que Deus vai restaurar a nossa alma, acredito que ele quer dizer que Deus vai nos devolver ao estado ou condição em que estávamos antes que deixássemos de seguir o bom plano que Deus havia predestinado para nós antes do nosso nascimento, ou antes que Satanás os atacasse para nos desviar do plano de Deus para nós.

O PLANO PREDESTINADO POR DEUS

> Porque somos criação de Deus realizada em Cristo Jesus para fazermos boas obras, as quais Deus preparou antes para nós as praticarmos.
>
> EFÉSIOS 2:10

Deus tem um bom plano preparado para cada um de nós e para a nossa vida antes que surgíssemos neste planeta. O diabo vem para atrapalhar esse plano e para destruir as coisas boas que Deus tem em mente para cada um de nós.

Desde antes de nascermos, Deus tinha um plano exclusivo para cada um de nós. Não é um plano de fracasso, miséria, pobreza, doença ou enfermidade. O plano de Deus é um bom plano, um plano de vida e saúde, felicidade e realização.

Em Jeremias 29:11 lemos: "Porque sou Eu que conheço os planos que tenho para vocês, diz o Senhor, planos de fazê-los prosperar e não de lhes causar dano, planos de dar-lhes esperança e um futuro".

Em João 10:10 Jesus disse: "O ladrão vem apenas para roubar, matar e destruir; eu vim para que tenham vida, e a tenham plenamente".

Seria muito benéfico para cada um de nós se disséssemos para nós mesmos diversas vezes por dia: "Deus tem um bom plano para a minha vida". Por que devemos fazer isso? Porque cada um de nós precisa estar firmemente convencido desta verdade para impedir que sejamos afetados pelas nossas circunstâncias e emoções instáveis.

Você deve estar perguntando: "Se Deus tem um plano tão maravilhoso para a minha vida, por que não estou vivendo nele?".

Entendo por que você faria essa pergunta. Realmente parece estranho que se Deus nos ama tanto e tem planos tão bons para nós tenhamos de sofrer tanto. O que você precisa lembrar é que temos um inimigo que pretende destruir o plano maravilhoso de Deus.

Embora Deus tivesse um bom plano para a minha vida, acabei vivendo em um ambiente de abuso porque o diabo veio e atrapalhou esse bom plano.

Porém existe mais uma coisa, algo realmente tremendo a respeito de Deus, que precisamos entender. Deus não gosta quando alguém nos magoa e tenta minar o Seu plano para nós. Embora esteja nos fazendo deitar em pastos verdejantes para restaurar a nossa alma, Deus está se levantando para fazer alguma coisa a respeito da nossa situação!

Deveria ser um grande consolo para nós sabermos que o que não podemos fazer por nós mesmos, o Senhor fará por nós — se confiarmos nossas vidas a Ele. Só Ele tem o poder de restaurar o que foi perdido para nós, quer essa perda tenha sido por culpa nossa ou por culpa do nosso inimigo.

VOLTE AO PONTO DE PARTIDA

O significado básico da palavra *restaurar* neste contexto, como definido na concordância de Strong, é "voltar (daí em diante)... literalmente ou figuradamente (não necessariamente com a ideia de *voltar* ao ponto de partida)."[3]

Deus quer nos levar de volta ao ponto de partida, ao lugar onde nos desviamos do Seu plano para nós, e depois nos levar adiante daquele ponto para fazer as coisas cooperarem da maneira que Ele pretendia desde o princípio. Ele necessariamente não nos levará de volta ao lugar físico, e em geral isso não acontece. Não creio que Ele sequer queira que tentemos ir para lá nas nossas lembranças e revivamos aquelas experiências, embora talvez algumas pessoas precisem fazer isso.

Pode haver vezes em que as lembranças das pessoas tenham sido bloqueadas por alguma coisa terrível que lhes aconteceu no passado e que elas não conseguiram enfrentar e tratar mentalmente e emocionalmente. Nesse caso, elas podem precisar voltar e resolver aquela situação para que possam avançar com suas vidas. Mas como adverti anteriormente, é melhor não partir para uma expedição de escavação.

Há coisas sobre a minha infância que não consigo me lembrar, e isso não me incomoda nem um pouco. Existem algumas coisas que é melhor para nós não lembrarmos nem revivermos. Muitas vezes, a capacidade de esquecer dada por Deus é uma verdadeira benção.

Um aspecto do ministério do Espírito Santo é trazer as coisas à nossa memória (João 14:26). Se existe alguma coisa em nosso passado que precisamos encarar e resolver, precisamos confiar em Deus para trazer isso à nossa atenção, para que não tenhamos de sair escavando por aí à procura dela.

Algumas pessoas têm buscado a cura emocional por anos e anos voltando às áreas de seu subconsciente e cavando em busca de todo tipo de lembranças nocivas e dolorosas. Este é um processo perigoso. É muito mais sábio depender do Espírito Santo para trazer à tona essas coisas que precisam ser tratadas e colocadas de lado de uma vez por todas.

O BEM RESULTANTE DO MAL

> Vocês planejaram o mal contra mim, mas Deus o tornou em bem, para que hoje fosse preservada a vida de muitos.
>
> GÊNESIS 50:20

Deus quer restaurar a sua alma. De uma forma ou outra, Ele quer voltar onde a sua vida saiu dos trilhos e consertar tudo daquele momento em diante. Embora até o Senhor não possa mudar o que aconteceu a você, Ele pode mudar as consequências disso, como fez comigo.

Em minha própria vida, não posso dizer sinceramente que estou satisfeita por ter sofrido abuso. Mas por ter escolhido entregar o abuso a Deus para que Ele pudesse me curar, Ele me tornou uma pessoa melhor, mais forte, mais poderosa espiritualmente e mais sensível.

Este é apenas outro exemplo de como Deus pega o que foi planejado para o mal contra nós e o transforma para o nosso bem.

José falou sobre isso em Gênesis 50:20, quando disse a seus irmãos que o que eles haviam planejado para o mal contra ele ao vendê-lo como escravo no Egito, Deus usou para o bem para salvá-los, às suas famílias e a muitos outros no tempo da fome.

ABRINDO AS CINZAS

> O Espírito do Soberano Senhor está sobre mim porque o Senhor ungiu-me para levar boas notícias aos pobres. Enviou-me para cuidar dos que estão com o coração quebrantado, anunciar liberdade aos cativos e libertação das trevas aos prisioneiros, para proclamar o ano da bondade do Senhor e o dia da vingança do nosso Deus; para consolar todos os que andam tristes, e dar a todos os que choram em Sião uma bela coroa em vez de cinzas, o óleo da alegria em vez de pranto, e um manto de louvor em vez de espírito deprimido...
>
> ISAÍAS 61:1-3

Na passagem de Isaías 61:3 somos ensinados que como parte do Seu processo de restauração, o Senhor nos dá uma coroa em vez de cinzas. Mas para que isso aconteça conosco, precisamos estar dispostos a entregar a Ele as cinzas.

Uma vez, vi um filme onde o pai de uma jovem morreu. Ela o amava tanto que mandou seu corpo ser cremado e guardou as cinzas em uma pequena caixa. Ela não pretendia mantê-las ali permanentemente, mas estava esperando o dia certo para se desfazer delas.

Finalmente o dia perfeito chegou. O vento estava soprando com força quando ela foi ao estábulo e selou o cavalo favorito dele, aquele que ele costumava escolher quando eles iam cavalgar juntos. Ele direcionou o cavalo para o topo de uma colina alta onde abriu a caixa e lançou as cinzas de seu pai ao vento que as soprou para longe. Essa foi sua maneira de deixá-lo ir — definitivamente.

Essa cena voltou à minha memória quando eu estava refletindo sobre essa questão de entregar as nossas cinzas ao Senhor. Talvez você tenha sido magoado no passado e tenha guardado as cinzas daquela dor em algum lugar. De vez em quando, talvez você as tire para fora para chorar outra vez sobre elas. Se esse for o caso, compreendo você, porque eu costumava fazer o mesmo.

Mas você precisa fazer o que eu fiz e abrir mão dessas cinzas, permitindo que o vento do Espírito Santo as sopre para longe, para um lugar onde elas não possam mais ser achadas. Este é um novo dia. Não há mais tempo para lamentar sobre as cinzas do passado. Não há futuro no passado.

Deus tem o mesmo bom plano para você que tinha no instante em que você chegou neste planeta. Ele nunca mudou de ideia. Desde o instante em que o inimigo o feriu, Deus tinha a sua restauração no coração Dele.

Quando o Senhor colocou Adão e Eva no jardim do Éden, nunca pretendeu que eles caíssem em pecado e destruíssem o Seu plano perfeito para eles e para suas vidas. Mas eles caíram em pecado e se tornaram escravos de Satanás.

Qual foi a reação de Deus?

Ele foi imediatamente trabalhar no Seu plano para a restauração deles. Ele sabia que ia enviar o Seu próprio Filho para redimi-los. Essa foi toda a razão por trás da vinda de Jesus a terra, como vemos em 1 João 3:8: "Para isso o Filho de Deus se manifestou: para destruir as obras do Diabo". A versão *Amplified Bible* diz: "O motivo pelo qual o Filho de Deus Se manifestou foi para desfazer (destruir, desatar e dissolver) as obras do diabo".

O MEU CÁLICE TRANSBORDA!

> Mesmo quando eu andar por um vale de trevas e morte, não temerei perigo algum, pois tu estás comigo; a tua vara e o teu cajado me protegem. Preparas um banquete para mim à vista dos meus inimigos. Tu me honras, ungindo a minha cabeça com óleo e fazendo transbordar o meu cálice. Sei que a bondade e a fidelidade me acompanharão todos os dias da minha vida, e voltarei à casa do Senhor enquanto eu viver.
>
> SALMO 23:4-6

Esta última parte do hino de louvor a Deus mais amado descreve o estado em que Deus quer que estejamos constantemente. Ele quer que sejamos protegidos, guiados, consolados. Ele quer colocar uma mesa de bênçãos diante de nós na presença dos nossos inimigos. Ele quer nos ungir com o óleo de alegria em vez de pranto. Ele quer que o nosso cálice de bênçãos transborde continuamente de ações de graças e louvor a Ele pela Sua bondade, misericórdia, e amor infalível para conosco. E Ele quer que vivamos para sempre, a cada momento, na Sua santa presença.

FERINDO A CABEÇA E O PÉ

> O Senhor Deus perguntou então à mulher: "Que foi que você fez?" Respondeu a mulher: "A serpente me enganou, e eu comi". Então o Senhor Deus declarou à serpente: "Já que você fez isso, maldita é você entre todos os rebanhos domésticos e entre todos os animais selvagens! Sobre o seu ventre você rastejará, e pó comerá todos os dias da sua vida. Porei inimizade entre você e a mulher, entre a sua descendência e o descendente dela; este lhe ferirá a cabeça, e você lhe ferirá o calcanhar".
>
> GÊNESIS 3:13-15

Depois que Adão e Eva caíram em pecado e compareceram diante de Deus para responder por sua desobediência, o Senhor amaldiçoou a serpente que os havia enganado e que atrapalhou Seu plano para eles. Entre outras coisas, Ele disse a ela que feriria a cabeça do descendente da mulher, que também feriria a cabeça dela.

Quando você foi magoado ou sofreu abuso, ou quando você foi simplesmente enganado por Satanás e caiu em algum tipo de pecado ou fracasso, nesses momentos o diabo estava ferindo o seu calcanhar. A promessa é de que se ele ferir o seu calcanhar, você pode ferir a cabeça dele.

Mas você não vai ferir a cabeça de Satanás se ficar sentado por aí chorando sobre as cinzas do seu passado. A única maneira de ferir a cabeça do diabo é fazendo as obras de Deus — apesar de tudo que o inimigo possa lançar sobre você para paralisá-lo.

Eu acredito que estou ferindo a cabeça de Satanás a cada dia que vivo.

Você quer ferir a cabeça de Satanás continuamente, como eu estou fazendo em minha vida e ministério? A maneira de fazer isso é ajudar outra pessoa. Comece a ser uma benção para os outros, e você começará a ferir a cabeça de Satanás.

Não saia se arrastando para algum lugar para cuidar das suas feridas. Não fique sentado arrancando as suas cascas e sangrando a vida inteira. Ocupe-se ferindo a cabeça daquele que feriu o seu calcanhar sendo uma benção para outra pessoa.

A Bíblia nos diz que a maneira de derrotar o mal é vencê-lo com o bem (Romanos 12:21). Mas isso requer esforço e determinação. Não é algo que acontece do nada. Temos de decidir fazer isso.

Durante anos, eu fiz exatamente o que estou incentivando você a não fazer. Eu me revolvia nas cinzas do passado. Quando finalmente entreguei essas cinzas ao Senhor, confessando a Ele que minha vida era um caos e pedindo a Ele para consertá-la, Ele me chamou para trabalhar no Seu Reino.

Você não precisa ter um chamado como o meu para ser uma benção. Apenas ocupe-se em ser uma benção para cada pessoa com quem você entrar em contato na sua vida diária. Comece onde você está, e Deus o levará para onde você deve terminar.

Talvez Satanás tenha ferido o seu calcanhar, mas se você estiver disposto e determinado, pode ferir a cabeça dele!

TIPOS DE ABUSO

Dissemos que a nossa alma ou o nosso homem interior compreende a nossa mente, a nossa vontade e as nossas emoções. Em geral a nossa alma, assim como o nosso corpo e o nosso espírito, sofre abuso.

Cometer abuso contra alguma coisa é "usá-la mal" ou "usá-la de forma errada ou imprópria".[4] Em outras palavras, usá-la para um propósito diferente daquele para o qual ela foi destinada.

Existem vários tipos de abuso: emocional, verbal, físico e sexual. Veremos cada um deles separadamente, embora eles muitas vezes possam ocorrer em conjunto.

O ABUSO EMOCIONAL

O abuso emocional pode ocorrer quando uma pessoa, que é criada por Deus para receber amor e aceitação, é rejeitada e levada a sentir que não é amada, apreciada ou que não tem valor. Esse tipo de tratamento em geral terá um efeito na autoimagem e na autoestima do indivíduo.

As pessoas que são constantemente submetidas ao abuso emocional rapidamente alteram a opinião que têm de si mesmas e sua perspectiva dos outros. Em geral, sua capacidade de se desenvolverem e de manterem relacionamentos duradouros e saudáveis com as outras pessoas é afetada. Elas costumam começar a alterar seu comportamento porque não querem correr o risco de sofrer mais dor e sofrimento emocional.

O ABUSO VERBAL

Há também o abuso verbal.

As pessoas desabrocham e crescem pela edificação, pela exortação e pelo encorajamento. Palavras de benção podem motivar as pessoas a se tornarem tudo o que Deus pretende que elas sejam.

Quando você e eu nascemos neste mundo, Deus tinha um plano pronto, feito sob medida para cada um de nós. Ele queria nos dar pais amorosos e cuidadosos para cuidar de nós e nos ensinar a Sua Palavra e para nos oferecer tudo que precisamos para viver em paz, felicidade e segurança. Ele queria que fôssemos criados em um lar onde os membros da família falassem as coisas certas a nós e sobre nós, nos dizendo que poderíamos ser qualquer coisa que o Senhor desejasse que fôssemos.

Nosso Pai celestial nunca pretendeu que fossemos criados por pessoas que nos dissessem: "Você nunca vai ser ninguém na vida!" ou "Por que você não pode ser como seu irmão?" ou "Por que você não tira boas notas como sua irmã?" ou "Afinal, o que há de errado com você?".

Esse tipo de fala é prejudicial à alma das pessoas porque altera a maneira como elas pensam acerca de si mesmas e dos outros.

Se seus pais ou professores ou outras figuras de autoridade em sua vida estavam constantemente lhe dizendo esse tipo de coisas negativas durante os anos da sua formação, você provavelmente cresceu perguntando a si mesmo: "O que há de errado comigo? Por que não consigo ser como meu irmão? Por que não tiro boas notas como minha irmã? Qual é o meu problema?".

Sofri tanto abuso verbal na minha infância e juventude que até mesmo na faixa dos trinta e quarenta anos eu ainda perguntava: "O que há de errado comigo?" Isso continuou até que o Senhor respondeu à minha pergunta dizendo: "Não há nada de errado com você, mas há muita coisa certa a seu respeito".

Ele prosseguiu dizendo que o que está certo comigo não se baseia no meu comportamento perfeito. Aprendi que sou aceitável a Deus, não porque sou muito boa, mas porque Ele é muito bom. Estou em posição reta com Ele porque Ele *escolheu* me colocar nessa posição.

O diabo não quer que ouçamos a verdade. Ele nos ofereceu religião, seguir regras e normas, para tentar fazer com que fiquemos tentando interminavelmente ser bons o bastante para merecer as bênçãos de Deus. O problema é que podemos seguir todas as regras e observar todas as leis e ainda assim não experimentar nenhuma alegria ou vitória em nossas vidas.

Não sou uma professora de religião, sou uma mestra da Palavra de Deus. Um motivo pelo qual coloco tanta ênfase na Bíblia é porque nela encontramos o bom plano de Deus para as nossa vida.

A Bíblia não nos ensina sobre religião, ela nos ensina sobre um relacionamento pessoal com o Senhor Jesus Cristo. Quando Ele vem viver dentro de nós, recebemos a Sua natureza no nosso espírito (1 João 3:9). Temos a oportunidade de um novo começo, de um novo princípio! "Portanto, se alguém está em Cristo, é nova criação. As coisas antigas já passaram; eis que surgiram coisas novas!" (2 Coríntios 5:17). Recebemos uma nova vida — literalmente nascemos outra vez.

Quando isso acontece, recebemos poder para fazer na nossa vida diária o que somos exortados a fazer em Filipenses 2:12 (AMP): "... ponham em ação (cultivem, levem até o objetivo, e completem totalmente) a salvação de vocês com temor e tremor, (com cautela, ternura de consciência, vigilância contra a tentação, esquivando-se timidamente de tudo que possa ofender a Deus e desacreditar o nome de Cristo)".

Lendo e meditando na Palavra de Deus, começamos a renovar a nossa mente, como nos é dito em Romanos 12:2: "Não se amoldem ao padrão deste mundo, mas transformem-se pela renovação da sua mente, para que sejam capazes de experimentar e comprovar a boa, agradável e perfeita vontade de Deus".

A partir do momento em que nossa mente é renovada pela Palavra de Deus, nossa vontade começa a voltar a ficar alinhada com a Sua vontade e propósito para nós. Quando isso acontece, as nossas emoções começam a ficar sob controle. Nossas almas são curadas a fim de que possamos desfrutar a justiça, a paz e a alegria que são nossas por direito no Espírito Santo (Romanos 14:17).

O ABUSO FÍSICO

O abuso físico inclui não apenas ser espancado e maltratado, mas também envolve experiências traumáticas como ser deixado sozinho ou trancado em um armário, ou até ser privado de demonstrações externas de amor e aceitação.

Foi provado que os bebês recém-nascidos que nunca são tocados ou segurados se tornam fracos, anêmicos, e até fisicamente doentes. Se eles forem privados por muito tempo de cuidado e atenção amorosos, podem até mesmo morrer.

Li em algum lugar que, no casamento, uma mulher precisa receber doze toques amorosos significativos todos os dias de seu esposo a fim de viver a sua vida plenamente e ser verdadeiramente saudável e íntegra. Quando eu estava falando sobre este fato em um dos meus seminários sobre casamento, uma mulher na fileira da frente olhou para seu marido e disse: "Você está me matando!". Ela queria dizer que ele não estava lhe dando o afeto que ela precisava.

A verdade é que todos nós, não importa nossa idade, precisamos não apenas estar a salvo dos maus tratos físicos, como também ser amados e cuidados tanto física quanto emocionalmente.

O ABUSO SEXUAL

Finalmente, existe o abuso sexual, que dizem ser o pior, o mais ofensivo e o mais nocivo de todos.

Como foi projetado e instituído por Deus, o sexo deveria ser a mais elevada expressão de um casal entregando-se um ao outro em amor dentro dos laços do sagrado matrimônio.

Quando uma pessoa é obrigada a fazer sexo contra a sua vontade, alguma coisa que ela não quer compartilhar lhe é tirada. Se essa pessoa sofrer abuso de uma maneira pervertida, ela pode sofrer danos duradouros em sua alma, assim como em seu corpo.

Quando as pessoas, principalmente as crianças, sofrem abuso sexual, a mente, a vontade e as emoções delas podem ser tremendamente afetadas. Elas podem se tornar negativas, desconfiadas, críticas, julgadoras, preocupadas e inquietas. Elas também podem se tornar o que eu chamaria de "mentalmente profundas", sempre raciocinando, sempre tentando entender tudo, sempre perguntando "Como posso cuidar de mim mesma? Como posso manter a vida sob controle para não ser mais machucada?".

PENSADORAS

Eu fui uma pensadora. O problema com isso é que essas pessoas nunca desfrutam a vida.

Existem muitas coisas nesta vida que você e eu nunca vamos entender por mais que tentemos. Precisamos parar de cuidar de nós mesmos e aprender a deixar Deus fazer o que Ele quer fazer por nós e conosco na vida que nos deu.

Aqueles que são como eu, que sofreram abuso de uma forma ou outra, passam tanto do seu tempo tentando evitar ser feridos outra vez que negligenciam outras coisas como construir relacionamentos fortes e saudáveis. O fato é que nenhum de nós jamais terá um bom relacionamento com alguém sem correr o risco de se machucar.

Amo meu marido, e no que me diz respeito, ele é o melhor marido do mundo. Mas ele ainda fere os meus sentimentos de vez em quando, assim como eu firo os dele. Às vezes ele não é tão sensível quanto eu gostaria que fosse, mas eu também não sou tão paciente e compreensiva quanto gostaria de ser.

Você e eu não podemos passar pela vida construindo muralhas para nos proteger para não sermos feridos pelos outros. Quando fazemos isso, o que estamos dizendo é: "Não vou deixar você ter acesso à minha vida novamente. Vou simplesmente manter você do lado de fora do muro". Mas precisamos lembrar que quando isolamos as pessoas do lado de fora, nós também nos isolamos do lado de dentro. Acabamos vivendo em uma prisão que nós mesmos construímos. Pode ser que isso impeça (assim pensamos) que sejamos feridos, mas também impede que desfrutemos a vida e o amor como deveríamos.

Se nos isolarmos contra o resto do mundo para nos protegermos e não nos ferirmos, sofreremos a dor da solidão e do isolamento, assim como a dor do medo.

As muralhas em nossas vidas precisam ser derrubadas, assim como as muralhas de Jericó tiveram de ruir para que os filhos de Israel pudessem entrar e desfrutar sua herança dada pelo Senhor.

Parte dessa destruição das muralhas é abrir mão da busca interminável pela perfeição, em nós e nos outros. Precisamos parar de tentar transferir para nós mesmos e para os outros a nossa "percepção do que é perfeição".

As pessoas que foram feridas estão sempre procurando o parceiro perfeito, os filhos perfeitos, a casa perfeita, o bairro perfeito, a igreja perfeita e o pastor perfeito, e daí por diante.

Enquanto estivermos nestes corpos carnais não encontraremos a perfeição que estamos buscando. Tudo isso é parte das cinzas emocionais às quais estamos nos agarrando e que precisamos deixar para vivermos na plenitude, na abundância e na liberdade que Deus preparou para nós desde o princípio.

REBELDIA

> Pois a rebeldia é como o pecado da feitiçaria, e a arrogância como o mal da idolatria.
>
> 1 Samuel 15:23

Vimos como o abuso afeta a mente, mas e quanto à vontade?

Acredito que grande parte da rebeldia é fruto do abuso. Quando uma pessoa foi ferida por vezes seguidas, em geral chega um tempo em que ela decide: "Ninguém nunca mais vai me molestar de novo. Enquanto eu viver, ninguém vai me dizer o que fazer. Por que eu devo me submeter a alguém em quem não posso confiar para fazer o que é melhor para mim? De agora em diante, vou cuidar de mim mesma e tomar as minhas próprias decisões".

Então, o resultado final do abuso muitas vezes é a teimosia, a obstinação e a rebeldia. Sei disso por causa da minha própria experiência amarga. Sei que estar sujeita a abuso contínuo tem um efeito duradouro em uma pessoa de vontade forte. Foi um pesadelo para alguém com o tipo de personalidade que tenho ser controlada e manipulada por anos sucessivos. No meu caso, o Senhor usou essa experiência para me tornar forte para o ministério, para que eu pudesse ajudar outros que estavam aprisionados no mesmo tipo de situação.

O que é triste é que uma vez que as pessoas consigam escapar de um ambiente tão abusivo, os efeitos desse abuso não terminam de repente. Muitas vezes pessoas que estão sofrendo e feridas sentem-se atraídas por outras pessoas que estão sofrendo e feridas. As vítimas de abuso por longo prazo costumam se casar com outras vítimas como elas. O resultado é que elas terminam ferindo e machucando uma às outras. Seus filhos recebem essa tendência ao abuso e a passam de geração em geração. A tendência para o abuso seguirá em frente até que alguém receba a linhagem sanguínea de Jesus e declare com ousadia: "Chega! Esta maldição do abuso não vai mais continuar! Isto vai parar agora mesmo!".

Quando uma decisão como essa é tomada, a vontade está sendo usada da maneira que Deus planejou — para escolher segui-lo e seguir o Seu caminho em vez de seguir descuidadamente os sentimentos e as emoções.

A BOCA COMO UMA EXPRESSÃO DA ALMA

> Se alguém se considera religioso, mas não refreia a sua língua, engana-se a si mesmo. Sua religião não tem valor algum!
>
> TIAGO 1:26

Para aqueles de nós que são nascidos de novo, o Senhor Jesus Cristo fez uma coisa maravilhosa. Ele ofereceu a si mesmo para redimir a nossa alma, assim como o nosso corpo e o nosso espírito.

Como observamos, nossa alma compreende a nossa mente, a nossa vontade e as nossas emoções. Portanto, a fim de nos apropriarmos da plenitude da benção que Jesus comprou para nós, precisamos entender cada um desses três aspectos vitais do nosso ser.

Para ajudar outros nesta área, minha biblioteca de mensagens contém uma pregação em quatro partes ("A Alma" da série "Espírito, Alma, Corpo") sobre a alma e seus três componentes — além da boca, que é a expressão verbal da alma.

Até que a boca seja colocada sob controle e submetida ao Senhor, não se pode dizer que a alma — a mente, a vontade e as emoções — esteja plenamente redimida e restaurada.

> Sujeitem-se uns aos outros, por temor a Cristo.
>
> Efésios 5:21

Quando realmente comecei a estudar a Palavra de Deus, o Senhor começou a tratar comigo sobre a minha atitude voluntariosa e teimosa, principalmente na área da submissão à autoridade.

Depois de algum tempo, Ele começou realmente a me pressionar quanto a este aspecto. Se você é tão cabeça dura como eu era, sabe que às vezes Ele tem de falar realmente sério conosco, como finalmente fez comigo.

Certa manhã, quando eu estava sentada de pijama orando para que o meu ministério crescesse, o Senhor falou comigo e disse: "Joyce, Eu realmente não posso fazer mais nada no seu ministério até que você faça o que Eu lhe disse para fazer com relação a seu marido. Você não está demonstrando a ele o respeito adequado. Você discute com ele por detalhes sem importância, por coisas que deveria simplesmente deixar de lado e esquecer. Você tem uma atitude voluntariosa, obstinada e rebelde. Tratei com você sobre isso muitas vezes, mas você simplesmente se recusa a ouvir".

Muitos de nós temos esse problema. Achamos que estamos sendo obedientes à Palavra de Deus, então nos perguntamos por que não estamos vivendo as bênçãos da aliança que nos são prometidas nela. Como vimos, não basta apenas ler a Palavra, ou até mesmo aprendê-la e confessá-la. Temos de ser praticantes da Palavra. É praticando que as bênçãos são liberadas.

Eu estava tendo problemas em ser submissa porque tinha uma vontade muito forte, que era o resultado de ter sofrido abuso quando criança.

Deixe-me dar-lhe um exemplo.

Certa manhã, levantei da cama e fui tomar banho no banheiro novo que Dave havia acabado de construir na nossa suíte principal. Como ele ainda não havia colocado um suporte para toalhas, coloquei minha toalha no assento do vaso sanitário e comecei a entrar no chuveiro.

Dave viu o que eu estava fazendo e me perguntou: "Por que você colocou a sua toalha ali?".

Imediatamente pude sentir minhas emoções começarem a ferver.

"O que há de errado em colocar a toalha ali?", perguntei com um tom sarcástico.

Sendo um engenheiro, Dave respondeu com a típica lógica matemática. "Bem, uma vez que ainda não temos um tapete, se você colocar a sua toalha na frente da porta do chuveiro, quando você sair não irá pingar água no chão quando for apanhar a toalha".

"Bem, que diferença faz se eu pingar um pouco de água no chão?", perguntei zangada.

Percebendo o meu humor, Dave simplesmente desistiu, encolheu os ombros, e saiu.

No fim das contas, fiz o que Dave sugeriu, mas fiz isso atirando a toalha no chão com irritação. Fiz a coisa certa, mas com a atitude errada.

Deus quer que cheguemos ao ponto de fazer a coisa certa com a atitude certa.

Quando entrei no chuveiro depois de atirar a toalha no chão, eu estava cheia de raiva.

"Será possível?", vociferei comigo mesma, "Não posso sequer tomar um banho em paz! Por que não posso fazer nada sem que alguém tente me dizer o que fazer?".

Na minha frustração, eu continuei reclamando sem parar.

Embora fosse uma cristã e estivesse no ministério por algum tempo, pregando a outros, não tinha controle sobre a minha própria mente, vontade ou emoções. Demorei três dias inteiros para que minha alma se acalmasse o bastante para que eu tivesse vitória sobre aquela toalha de banho!

O que me faltava naqueles dias passado é o que falta a muitos no Corpo de Cristo hoje: equilíbrio e estabilidade emocional.

EQUILÍBRIO E ESTABILIDADE EMOCIONAL

O desenvolvimento do equilíbrio e da estabilidade é parte da restauração das emoções.

Quando uma pessoa sofre abuso ou tem sentimentos de perda, inadequação, culpa ou fracasso, não apenas sua mente e vontade são afetadas, mas também as suas emoções. Mas graças a Deus porque Jesus veio para curar essas emoções.

Eu costumava ser muito instável emocionalmente. Acordava uma manhã e ficava toda empolgada por causa de alguma coisa que eu iria fazer naquele dia. Na manhã seguinte acordava nas profundezas da depressão porque não tinha nada para esperar ansiosamente. Minhas emoções subiam e desciam de um dia para o outro, de uma hora para outra, ou até de um minuto para o outro, dependendo do meu humor oscilante.

Meu marido podia chegar em casa um dia, e eu corria para ele, atirava meus braços ao redor dele, e o beijava e abraçava. No dia seguinte ele podia entrar e eu estava pronta para jogar alguma coisa em cima dele. Na maior parte do tempo, minha reação não tinha nada a ver com qualquer coisa que ele havia feito ou deixado de fazer. Tudo era determinado pelo meu próprio estado emocional.

Ainda que você nunca tenha sofrido abuso ou sido tão instável mentalmente e emocionalmente quanto eu era, todos nós precisamos de restauração contínua a fim de manter o equilíbrio e a estabilidade adequados em nossa vida.

Sejam quais forem suas experiências passadas ou suas circunstâncias presentes, submeta a sua mente, a sua vontade e as suas emoções ao Senhor e permita que Ele traga saúde e integridade a elas, a fim de que você possa cumprir o bom plano que Ele tinha para você desde antes de você nascer.

Capítulo 8

A Raiz da Vergonha

Se você conhece alguma coisa de jardinagem, sabe que uma raiz amarga produz frutos amargos.

Se você tem problemas com sua atitude, comportamento e relacionamento com os outros, é provavelmente o sintoma de um problema mais profundo.

Quando eu tinha dezoito anos, fugi de uma situação de abuso. Pensava que por ter deixado para trás o que estava me causando tanta infelicidade, aquilo já não teria mais o poder de me afetar. Porém, logo descobri que embora não possuísse mais aquele problema em minha vida, aquele problema me possuía.

Embora meu ambiente externo tivesse mudado, interiormente eu mesma não havia mudado. Embora tivesse nascido de novo e me tornado uma nova criatura em Cristo, na minha alma eu ainda tinha uma raiz de vergonha.

UMA CRIAÇÃO NOVA COM RAÍZES ANTIGAS

Portanto, se alguém está em Cristo, é nova criação. As coisas antigas já passaram; eis que surgiram coisas novas!

2 Coríntios 5:17

Algumas pessoas dizem: "Desde que nasci de novo, sou uma nova criatura em Cristo. Não me incomode com nada sobre o passado porque não quero ouvir. Estou morto para tudo isso. Essas coisas não me afetam mais".

Eu também nasci de novo. Também fui feita uma nova criatura em Cristo. Também acredito no que o apóstolo Paulo estava nos dizendo neste versículo. Mas também acho que precisamos saber o que ele *significa*, tanto quanto o que ele *diz*.

Para entender completamente o que Paulo está dizendo neste versículo, comecei a estudá-lo especificamente para este capítulo. Quando procurei a palavra grega que foi traduzida como *nova*, descobri que ela pode se referir a alguma coisa consagrada ou dedicada para um uso novo ou diferente.[1]

Quando você e eu nascemos de novo, Deus nos consagra ou dedica a um uso novo e diferente, o único para o qual estávamos destinados a princípio. Podemos dizer que recebemos uma nova oportunidade para o serviço.

Quando Cristo vem viver dentro de nós, uma semente imperecível é plantada em nosso interior. Tudo que precisamos para ser completamente saudáveis e íntegros está Nele. E se está Nele, então está em nós. Mas na forma de semente, e sementes precisam ser regadas e nutridas a fim de crescerem e darem frutos.

Duas pessoas podem nascer de novo ao mesmo tempo; uma dará muitos frutos, enquanto a outra não produzirá nada. O motivo é que uma regra e alimenta a semente plantada dentro dela, e a outra não.

Por que dez anos depois de fugir do mesmo ambiente de abuso, uma pessoa está andando em vitória enquanto a outra não progrediu em nada? O motivo é porque uma fez o que devia fazer, e a outra não.

Você e eu podemos ter nascido de novo, mas se não lermos e estudarmos a Palavra de Deus e nos tornarmos praticantes dela, nunca desfrutaremos todas as coisas boas que Deus pretende que tenhamos. A não ser que sejamos obedientes à Palavra de Deus, a Palavra não terá efeito duradouro sobre nós.

Eu havia nascido de novo. Era uma nova criatura em Cristo. Havia recebido uma nova oportunidade de viver para o Senhor e produzir muitos frutos bons. Mas em vez disso, estava produzindo frutos podres. Por quê? Porque embora a semente em mim fosse boa, as raízes eram ruins.

Eu era controladora e manipuladora. Era descontrolada emocionalmente. Era deprimida. Tinha oscilações de humor. Eu tinha uma atitude negativa, uma autoimagem terrível, e baixa autoestima. Eu não gostava de mim mesma, nem de ninguém.

Mas tudo isso não era porque eu não havia nascido de novo ou porque eu não havia recebido uma oportunidade inteiramente nova de cumprir o bom plano de Deus para a minha vida. O motivo era porque, embora fosse uma nova criatura espiritualmente, minha alma ainda estava longe de ser transformada.

O mais triste é que eu sabia como era. Eu apenas não sabia *por que* era assim. Eu amava a Deus e não queria desagradá-lo. Eu amava meu marido e não queria ser má, dura ou desrespeitosa com ele. Eu adoraria ser uma esposa doce, gentil, meiga, terna e amorosa.

Até mesmo me angustiava por causa do meu problema, perguntando a Deus: "Senhor, o que há de errado comigo?" Mas independentemente de quanto tentasse mudar por fora e me tornar um aroma suave para o Senhor, por dentro eu estava cheia de frutos podres que exalavam um odor ofensivo a todos com quem eu entrava em contato. Embora eu quisesse ser uma árvore que produzia bons frutos, não podia fazer isso porque eu tinha uma raiz de amargura dentro de mim. E uma raiz amarga sempre produz frutos amargos.

A ÁRVORE MÁ

> Toda árvore é reconhecida por seus frutos. Ninguém colhe figos de espinheiros, nem uvas de ervas daninhas. O homem bom tira coisas boas do bom tesouro que está em seu coração, e o homem mau tira coisas más do mal que está em seu coração, porque a sua boca fala do que está cheio o coração.
>
> LUCAS 6:44-45

Imagine uma árvore com suas raízes, seu tronco e seus galhos. Imagine que ela é uma árvore frutífera no processo de dar frutos.

Jesus disse que toda árvore é conhecida e identificada pelos seus frutos. Imagine que você está olhando para uma árvore frutífera e descrevendo todas as coisas ruins produzidas na vida de uma pessoa emocionalmente perturbada. Se você olhar para a raiz dessa árvore, verá coisas como rejeição, abuso, culpa, negativismo e vergonha.

Se você tem um problema com alguma dessas coisas em sua vida, o motivo é porque elas são o fruto amargo do que foi enraizado no seu pensamento. Você pode ser o fruto do fato de ter se espelhado e representado seus pais e outras pessoas de forma imprópria. Isto é, você pode estar sofrendo por causa do mau exemplo ao qual foi exposto continuamente nos anos de sua infância e juventude.

Se seus pais, seus professores ou outras figuras de autoridade lhe disseram sucessivas vezes em sua infância que você não prestava para nada, que havia alguma coisa errada com você, que você não conseguia fazer nada direito, que você não valia nada e que nunca seria ninguém na vida, você pode ter começado a acreditar nisso. Satanás pode ter reforçado essa mensagem repetindo-a em sua mente sem cessar, até que ela se tornasse parte da sua autoimagem, de modo que você passou a ser por fora exatamente como você se via por dentro.

Foi provado que se as pessoas acreditam em alguma coisa sobre si mesmas com firmeza suficiente, elas começarão a se comportar de acordo com a maneira como se veem. O que está acontecendo é que as raízes dessa árvore má imaginada na mente estão produzindo o fruto ruim que cresceu dela.

Um dos frutos ruins da árvore má é a vergonha.

A VERGONHA NORMAL E A VERGONHA ENRAIZADA

> Sofro humilhação o tempo todo, e o meu rosto está coberto de vergonha.
>
> Salmo 44:15

Se você tem uma raiz de vergonha, então precisa estar ciente de que a vergonha é diferente da culpa, outra das raízes da árvore de frutos ruins que você imaginou. Há também uma diferença entre a vergonha normal e vergonha enraizada.

Por exemplo, se eu derrubar o meu copo de água em um restaurante sofisticado, vou me sentir envergonhada ou constrangida porque fiz um estrago diante de todos. Isso é normal. Mas logo conserto o contratempo e sigo em frente. Esse incidente não arruína minha vida,

No Jardim do Éden, depois da queda, Adão e Eva ficaram envergonhados quando perceberam que estavam nus, e então fizeram aventais de folha de figos para se cobrirem. Mas essa também foi uma reação normal.

Quando você e eu cometemos erros ou pecados, nós nos sentimos mal até nos arrependermos e sermos perdoados. Então somos capazes de deixar isso para trás e seguirmos em frente sem nenhum dano duradouro.

Mas quando uma pessoa tem uma raiz de vergonha, isso afeta toda a sua vida. Ela não sente apenas vergonha do que fez, ela tem vergonha de quem é.

Por exemplo, se uma criança sofre abuso sexual por parte de seu pai, a princípio ela pode ter vergonha do que está lhe acontecendo. Mas se isso continuar durante certo tempo, uma transição começará a acontecer. Ela começará a internalizar essa situação traumática e passará a sentir vergonha não apenas do que está lhe acontecendo, mas também de si mesma.

Ela pode começar a perguntar: "O que há de errado comigo que faz com que meu pai faça isto? Qual é a imperfeição em mim que faz com que ele me trate assim?".

A criança não tem a capacidade do adulto de olhar para o que está acontecendo e colocar a culpa onde ela deve estar. Ela talvez não seja capaz de diferenciar entre o que está acontecendo com ela e quem ela é. Ela pode até pensar que o fato de seu pai cometer abuso contra ela seja culpa sua, e que ela na verdade está provocando esse tipo de coisa. Nesse caso, sua autoimagem será totalmente afetada.

Eu costumava ser assim. Havia sido rejeitada e sofrido abuso por tanto tempo que achava que havia algo errado comigo.

Graças a Deus, Ele me libertou de tudo isso. Agora, quando cometo um erro, posso sofrer por causa dele por algum tempo, como todos nós, mas não fico me culpando e perguntando o que há de errado comigo. Entendo que cometi um erro, mas não fico com vergonha de mim mesma por não ser perfeita.

Se as outras pessoas me fazem alguma coisa, não suponho automaticamente que seja culpa minha porque sou uma pessoa imprestável. Não fico envergonhada porque acho que não sirvo para nada, nem acho que mereço ser maltratada.

O TRONCO

Se uma pessoa tem uma raiz de vergonha, mais cedo ou mais tarde quando ela mover o tronco daquela árvore má, ela começará, talvez inconscientemente, a pensar "Já que sou tão imperfeita, o meu verdadeiro eu não é aceitável, então é melhor eu fingir".

Quantos de nós passamos pela vida nos esforçando para sermos algo que não somos, tentando impressiona a todos, e ficando tão confusos e embaralhados que não sabemos mais como somos realmente?

Muitas vezes, no nosso medo de sermos vistos pelo que realmente somos, tentamos ser de uma maneira para uma pessoa ou grupo e de uma maneira totalmente diferente para outra. Por causa do nosso medo da rejeição ou do ridículo, passamos toda a nossa vida tentando ser o que pensamos que todos querem que sejamos. Nesse processo, perdemos a essência de quem realmente somos e acabamos completamente infelizes.

Se sentirmos que quem realmente somos não é aceitável, podemos começar a esconder os nossos verdadeiros sentimentos. Algumas pessoas passam a reprimir seus verdadeiros sentimentos de tal maneira que ficam emocionalmente congeladas, incapazes de expressar qualquer tipo de sentimento ou emoção porque fazer isso é doloroso demais.

Muitos homens não querem mostrar nenhuma vulnerabilidade, ternura ou sensibilidade porque têm medo de que, se fizerem isso, pode parecer que são fracos ou molengas. Então, em vez de exporem seus verdadeiros sentimentos, exibem uma fachada de "machões", que apenas mascara o problema, gerando dor para eles e para os outros, principalmente suas esposas.

Creio que é hora de todos nós sairmos de trás das nossas máscaras e nos tornarmos reais. É hora de parar de desempenhar papéis. Precisamos permitir que o Espírito Santo nos ensine quem realmente somos. Então precisamos ser sinceros e nos abrir para os outros, em vez de sempre termos medo do que as pessoas vão pensar de nós se revelarmos nossa verdadeira natureza e nosso verdadeiro caráter.

NOSSO "TANQUE DE AMOR"

> E que Cristo habite por meio da fé em vosso coração, a fim de que arraigados e fundamentados em amor...
>
> Efésios 3:17, KJV

Cada um de nós nasce com um "tanque de amor"[2], e se o nosso tanque estiver vazio, estamos com problemas.

Precisamos começar a receber amor desde o instante em que nascemos e continuar a recebê-lo — e a dá-lo a outros — até o dia em que morremos.

Às vezes Satanás consegue arranjar as coisas de tal maneira que em vez de receber amor, recebemos abuso. Se esse abuso continuar, nos tornamos pessoas que morrem de fome de amor, pessoas deturpadas, incapazes de manter relacionamentos saudáveis. Muitas pessoas desenvolvem comportamentos de vícios de diferentes tipos. Se elas não conseguem tirar bons sentimentos de dentro de si mesmas, procuram por eles do lado de fora.

Uma das coisas que precisamos entender é que as pessoas têm de ter certo número de bons sentimentos. Todos nós fomos criados para ter bons sentimentos sobre nós mesmos. Não podemos viver sofrendo, sendo feridos e nos sentindo mal o tempo todo. Simplesmente não fomos projetados e equipados para viver assim. Para encontrar esses bons sentimentos, muitas pessoas se voltam para o sexo, as drogas, o álcool, o tabaco, a comida, o dinheiro, o poder, o jogo, a televisão, os esportes, e muitas outras coisas que viciam. Elas estão simplesmente tentando obter esses bons sentimentos de que sentem falta em si mesmas e em seus relacionamentos.

Até mesmo muitos cristãos não estão tirando bons sentimentos de seus relacionamentos. Eles simplesmente fazem tudo que devem fazer, sem realmente desfrutar a vida por causa do que aconteceu a eles para privá-los do que eles realmente precisam e desejar — amor.

A boa notícia e que, seja o que for que tenha acontecido conosco no passado, seja o que for que tenhamos sido privados de ter, podemos receber essas coisas do Senhor. Ele é o nosso Pastor, por isso não devemos ter falta de nada (Salmo 23:1). Ele prometeu não reter de nós bem algum (Salmo 84:11).

Se não recebemos amor suficiente quando estávamos crescendo, ou se não estamos recebendo amor suficiente agora, não temos de passar o resto da vida com o "tanque de amor" vazio. Mesmo que não haja outro ser humano nesta terra que nos ame, ainda somos amados por Deus. Podemos ficar enraizados e fundamentados no Seu amor e não enraizados e fundamentados nessas coisas como a raiz da árvore do fruto ruim.

FRUTOS MAUS

Vimos que uma raiz amarga produz um fruto amargo e que alguns dos frutos da árvore má são a rejeição, o abuso, a culpa, o negativismo e a vergonha.

Outros frutos dessa árvore má são a depressão, a baixa autoestima, a falta de autoconfiança, a ira, o ódio, a autopiedade e a hostilidade.

Examinamos alguns desses frutos como o abuso, a vergonha, a autocomiseração piedade e a depressão, em detalhes. Agora vamos olhar mais detalhadamente para o que a Bíblia tem a dizer sobre os frutos maus da ira e da hostilidade na forma em que eles estão relacionados à raiz da vergonha.

NÃO SE INDIGNE

> Não se aborreça por causa dos homens maus e não tenha inveja dos perversos; pois como o capim logo secarão, como a relva verde logo murcharão. Confie no Senhor e faça o bem; assim você habitará na terra e desfrutará segurança. Deleite-se no Senhor, e ele atenderá aos desejos do seu coração. Entregue o seu caminho ao Senhor; confie nele, e ele agirá: ele deixará claro como a alvorada que você é justo, e como o sol do meio-dia que você é inocente.
>
> SALMO 37:1-6

Quando meu marido e eu nos casamos há mais de trinta anos, minha sogra escreveu o versículo 5 dessa passagem na primeira página da Bíblia que ela me deu, sem saber nada a meu respeito.

Esta passagem bíblica era o que eu precisava para me direcionar porque eu havia sofrido muito no passado. Eu me afligia tanto por causa do que me havia sido feito e de como aquilo havia afetado a minha vida, que eu poderia ser chamada de "Irmã Aflição"! Eu precisava desesperadamente abandonar a aflição e começar a deixar tudo aquilo para trás. Eu precisava entregar o meu caminho ao Senhor e permitir que Ele trouxesse à existência minha cura e restauração completas.

Se você está sofrendo e está ferido, se perdeu o controle das suas emoções, se você está colhendo os frutos maus das raízes ruins do seu passado, faça como eu fiz: pare de se afligir e comece a deixar tudo para trás.

Leia e medite nestes versículos diariamente. Permita que eles ministrem a graça, o amor e a misericórdia de Deus à sua alma atribulada. Entregue o seu caminho ao Senhor. Entregue os seus cuidados a Ele e descanse. Coloque a sua fé e a sua confiança Nele. Confie e dependa Dele para tirar a sua mágoa e a sua dor e para restaurar você, dando-lhe uma saúde emocional plena e vibrante.

DEIXE A IRA

> Descanse no Senhor e aguarde por ele com paciência; não se aborreça com o sucesso dos outros, nem com aqueles que maquinam o mal. Evite a ira e rejeite a fúria; não se irrite: isso só leva ao mal.
>
> Salmo 37:7-8

Às vezes é difícil não se angustiar quando fomos feridos ou sofremos abuso por parte de alguém que parece ter acabado em melhor posição do que nós. Estou pensando, por exemplo, nas mulheres cujos maridos as abandonaram para irem embora com outra mulher e que parecem estar vivendo felizes e com sucesso apesar de todo o mal que fizeram e de toda infelicidade que causaram.

Mas esta passagem diz que ainda não é o fim.

No versículo oito, o Salmista prossegue nos exortando pela terceira vez a não nos afligirmos. Uma vez que isso é repetido tantas vezes, este deve ser um ponto importante, um ponto ao qual devemos dar ouvidos e com o qual precisamos aprender.

Por que nos é dito para rejeitarmos a ira, para abandonarmos a irritação, e para não nos afligirmos? Porque isso só leva ao mal.

Em vez de ceder às nossas emoções perturbadas e procurarmos vingança sobre aqueles que nos fizeram mal ou nos ofenderam, devemos ficar quietos e descansar no Senhor, esperando pacientemente que Ele aja. Se for necessária a vingança, Ele a executará. Não temos de nos vingar dos nossos inimigos, porque Deus fará isso por nós.

Não devemos nos irar ou tentar nos vingar. Em vez disso, devemos permanecer humildes, sabendo que no final venceremos.

OS HUMILDES HERDARÃO A TERRA

> Pois os maus serão eliminados, mas os que esperam no Senhor receberão a terra por herança. Um pouco de tempo, e os ímpios não mais existirão; por mais que os procure, não serão encontrados. Mas os humildes receberão a terra por herança e desfrutarão pleno bem-estar.
>
> Salmo 37:9-11

De acordo com o versículo 9, não apenas os ímpios deixarão de existir, mas também aqueles que esperam e aguardam pelo Senhor herdarão a terra. O versículo 10 repete a afirmação de que os ímpios colherão as consequências dos seus maus atos. Então, no versículo 11, nos é dito novamente que os humildes herdarão a terra.

Esta é a passagem do Antigo Testamento à qual Jesus estava se referindo quando disse no Sermão da Montanha: "Bem-aventurados os humildes, pois eles receberão a terra por herança!" (Mateus 5:5).

Você e eu somos trabalhadores ou herdeiros? Devemos tentar consertar as coisas para nós, ou devemos esperar no Senhor e deixar que Ele faça as coisas cooperarem para o bem? Devemos ser irados ou humildes?

A palavra grega traduzida como "humilde" em Mateus 5:5 é *praus*, que significa manso ou brando.[3] A forma nominal desta palavra grega é *prautes,* que significa mansidão, humildade ou brandura.[4]

Em seu dicionário de termos do Antigo e Novo Testamento, W. E. Vine diz que "... a humildade é o oposto da autoafirmação e do interesse próprio; ela é a serenidade de espírito que não é nem exaltada nem desencorajada, simplesmente porque não se ocupa absolutamente com o ego".[5]

Certa vez ouvi que, de acordo com Aristóteles, *prautes* (ou humildade) é o meio termo ou o meio do caminho entre os extremos emocionais. Neste caso, ela descreve o equilíbrio que deve ser mantido com relação à ira.

Como vimos, algumas pessoas têm raiz de amargura por causa das coisas que lhes aconteceram no passado. Elas permitem que a amargura, a ira e a hostilidade se manifestem de formas anormais.

Eu era assim. Tinha todo tipo de emoções aprisionadas dentro de mim, mas não sabia como liberá-las adequadamente. Eu não sabia como entregá-las ao Senhor.

Eu nem sequer sabia com quem estava irada. Tudo que eu sabia era que estava irada, e que estava ferida. Estava cansada de ser tiranizada e maltratada, e estava decidida a não mais facilitar as coisas para ninguém.

Eu estava irada, mas não com a pessoa certa. Estava irada com os seres humanos, inclusive comigo mesma, em vez de estar irada com a verdadeira fonte do meu problema, que era o diabo e seus demônios (Efésios 6:12).

Mas por estar tão cheia de raiva e hostilidade reprimidas, eu estava sempre muito próxima do que chamo "ponto de explosão". Tudo que era necessário era que alguém cruzasse o meu caminho ou me ofendesse, ou que alguma coisa desse errado de alguma forma, e eu estava pronta para "explodir". Esse é um extremo da ira. O outro é nunca ficar irado com nada ou com ninguém por motivo algum.

Algumas pessoas são tão amedrontadas e tímidas que simplesmente presumem que independentemente do que lhes aconteça, independentemente do quanto sejam maltratadas, isso é culpa delas e, portanto, não oferecem qualquer resistência.

Por causa da sua autoimagem negativa e da sua baixa autoestima, elas na verdade pensam que *merecem* sofrer abuso e também merecem que as pessoas se aproveitem delas. O resultado é que elas passam a vida na defensiva, quando deveriam estar iradas de uma maneira equilibrada. Elas não passam de capachos para todos — e esponjas para tudo que o diabo e seus demônios querem despejar sobre elas.

Não é isso que a Bíblia quer dizer quando fala em mansidão.

A VERDADEIRA MANSIDÃO

> E era o homem Moisés mui manso, mais do que todos os homens que havia sobre a terra.
>
> Números 12:3, ACRF

Creio que a verdadeira mansidão é ficar irado na hora certa e na medida certa pelo motivo certo.

A Bíblia diz que quando Deus chamou Moisés para conduzir os israelitas para fora do cativeiro no Egito, Moisés era o homem mais manso na face da terra. Em outras palavras, ele era capaz de manter um equilíbrio cuidadoso entre os extremos emocionais.

Por exemplo, Moisés era paciente e longânimo com os israelitas, geralmente intercedendo por eles para desviar a ira de Deus contra eles por seus pecados e por sua rebelião. Como líder e guia deles ordenado por Deus, Moisés suportou por décadas as queixas, as reclamações e a insolência desse povo que parecia nunca se cansar de testar sua paciência e sua tolerância.

Mas quando ele desceu depois de se encontrar com o Senhor no topo da montanha e viu os israelitas se prostrando e adorando o bezerro de ouro que haviam feito, Moisés ficou tão irado que atirou as tábuas com os Dez Mandamentos escritos sobre eles!

Há um momento para se reprimir a ira, e há um momento para expressar ira. A sabedoria é saber a diferença. Moisés possuía essa sabedoria, e nós também devemos fazer o mesmo.

Uma pessoa mansa não é alguém que nunca demonstra nenhuma ira; é alguém que nunca permite que a sua ira saia do controle. Mansidão não significa não ter emoções; significa estar no controle das emoções e canalizá-las para a direção certa com o propósito certo.

ADOTADO POR DEUS

> Bendito o Deus e Pai de nosso Senhor Jesus Cristo, o qual nos abençoou com todas as bênçãos espirituais nos lugares celestiais

> em Cristo; Como também nos elegeu nele antes da fundação do mundo, para que fôssemos santos e irrepreensíveis diante dele em amor; E nos predestinou para filhos de adoção por Jesus Cristo, para si mesmo, segundo o beneplácito de sua vontade.
>
> Efésios 1:3-5

Algumas pessoas têm problemas emocionais porque elas foram adotadas. Uma vez que, por algum motivo, seus pais biológicos optaram por entregá-las para adoção, elas sentem que não foram desejadas ou amadas.

Em vez de olhar para si mesmas sob esse enfoque, elas deveriam levar em consideração o fato de que seus pais adotivos as desejaram e as amaram, porque eles as escolheram deliberadamente para se tornarem parte da família.

De acordo com esta passagem, Deus fez exatamente isso por você e por mim. Ele nos escolheu, e realmente nos selecionou, para sermos os Seus filhos amados. Não apenas isso, mas Ele fez isso antes da fundação do mundo. Antes mesmo de existirmos, Ele nos escolheu e nos consagrou, nos separando para sermos irrepreensíveis aos Seus olhos, acima de qualquer reprovação perante Ele em amor.

Deus nos ordenou, nos destinou e nos planejou em amor para sermos adotados e revelados como Seus próprios filhos através de Seu Filho Jesus Cristo!

Com esse conhecimento, os nossos "tanques de amor" deveriam estar cheios até transbordar!

O problema é que muitas pessoas estão carentes de amor. Em vez de encontrar o seu senso de valor e dignidade em Deus, seu amoroso Pai celestial, elas tentam obter o amor pelo qual anseiam por meio de fontes que nunca vão atender sua necessidade.

No Salmo 27:10 Davi escreveu: "Embora meu pai e minha mãe tenham me abandonado, no entanto o Senhor me acolherá [me adotará como Seu filho]" (AMP).

Essa não é uma notícia maravilhosa?

É tão reconfortante saber que ainda que sejamos abandonados por algum motivo pelos nossos pais terrenos, Deus nos escolheu e nos adotou como Seus filhos — não por causa do nosso grande amor por Ele, mas por causa do Seu grande amor por nós.

Agora que pertencemos a Ele, Ele prometeu nunca nos deixar nem nos abandonar, como outros podem ter feito, mas sempre nos amar, cuidar de nós e nos suprir como Seus próprios filhos amados.

A ÁRVORE BOA

> Considerem: uma árvore boa dá bom fruto; uma árvore ruim, dá fruto ruim, pois uma árvore é conhecida por seu fruto.
>
> MATEUS 12:33

Assim como vimos a árvore má e seus frutos, agora vamos ver a árvore boa e alguns de seus frutos. Encontramos esses frutos relacionados em Gálatas 5:22-23:

> Mas o fruto do Espírito é amor, alegria, paz, paciência, amabilidade, bondade, fidelidade, mansidão e domínio próprio. Contra essas coisas não há lei.

Todos esses bons frutos são produzidos na vida da pessoa que está enraizada e fundamentada, não na vergonha, mas no amor de Cristo. Mesmo que você tenha uma raiz de vergonha e todos os outros frutos da árvore má, você pode extrair a linhagem de Jesus Cristo em meio a tudo isso e passar a estar enraizado e firmado no Seu amor. Desse ponto em diante, você pode começar a crescer e a se desenvolver e a se tornar normal, íntegro e saudável, dando todo tipo de bons frutos em sua vida.

AMANDO A SI MESMO

> ...Amarás o teu próximo como a ti mesmo.
>
> MATEUS 19:19

Creio que um dos maiores problemas que as pessoas têm hoje diz respeito à maneira como se sentem com relação a si mesmas. A verdade é que muitas pessoas na nossa sociedade hoje têm uma ideia muito negativa a respeito de si mesmas.

Com base nas minhas experiências dirigindo reuniões e seminários por todos os Estados Unidos e em outros lugares, cheguei à conclusão que muitas pessoas levam consigo uma atitude e uma autoimagem muito negativas. Na verdade, muitas delas têm feito isso por tanto tempo que nem sequer se dão conta.

De vez em quando você e eu precisamos fazer um autoexame. Você fez um autoexame ultimamente? O que você acha de si mesmo? Que tipo de relacionamento você tem consigo mesmo?

Não importa aonde você vá ou o que faça nesta vida, você sempre vai ter de lidar consigo mesmo. Não há como fugir de *você*.

Se o Senhor nos ordenou a amarmos o nosso próximo como amamos a nós mesmos, com certeza Ele quis dizer que é importante amarmos a nós mesmos como amamos os outros. Mas não basta amarmos a nós mesmos, também devemos *gostar* de nós mesmos.

GOSTANDO DE SI MESMO

Você é uma pessoa de quem não pode fugir. Se você não gosta de si mesmo, tem um problema sério nas mãos.

Aprendi essa verdade há vários anos quando tinha dificuldades tremendas em me relacionar com outras pessoas. Descobri que o motivo pelo qual tinha tanta dificuldade em me relacionar com os outros era porque eu não estava me relacionando comigo mesma.

Se você não gosta de si mesmo, terá dificuldades em gostar de quem quer que seja. Você pode fingir que gosta. Mas o fingimento não altera o fato. Mais cedo ou mais tarde, a verdade virá à tona.

Todos nós devemos ser uma usina geradora para Deus, vivendo em equilíbrio e harmonia por dentro e por fora. Para fazer isso, precisamos ter não apenas a atitude correta para com os outros, mas também a atitude correta para com nós mesmos. Precisamos estar em paz com o nosso passado, contentes com o nosso presente, e seguros quanto ao nosso futuro, sabendo que todos eles estão nas mãos de Deus. Precisamos ser estáveis, enraizados e firmados no amor de Deus, na forma como ele é expresso em Seu Filho Jesus Cristo.

Por estarmos enraizados e fundamentados em amor, podemos ficar relaxados e à vontade, sabendo que a nossa aceitação não se baseia no nosso desempenho ou no nosso comportamento perfeito. Podemos estar seguros no conhecimento de que o nosso valor e dignidade não dependem de quem somos ou do que pensamos, dizemos ou fazemos. Ele se baseia em quem somos em Cristo Jesus.

Seguros no nosso conhecimento de quem somos Nele, podemos abrir mão das nossas máscaras e fachadas. Não precisamos mais fingir. Não temos de ser falsos. Em vez disso, somos livres para simplesmente sermos nós mesmos — exatamente como somos.

Que alegria e libertação saber que não temos de passar pela vida tentando impressionar os outros com nosso brilhantismo e nossa perfeição! Quando cometermos erros — e isso vai acontecer — podemos fazer as mudanças que forem necessárias sem ficarmos angustiados com nós mesmos. Podemos relaxar no Senhor, confiantes de que Ele cuidará para que tudo dê certo apesar dos nossos erros, das nossas fraquezas e dos nossos fracassos.

A palavra chave de tudo isso é relaxe. Solte-se e deixe que Deus faça o que for necessário para cumprir o Seu plano bom e perfeito para você.

Você não tem de viver dia após dia com uma coisa corroendo seu interior. Deixe o passado marcado pela vergonha para trás, e aprenda a viver com a alegria e a paz que Deus preparou para você desde o começo.

A DEFINIÇÃO DE VERGONHA

> Não tenha medo; você não sofrerá vergonha. Não tema o constrangimento; você não será humilhada. Você esquecerá a vergonha de sua juventude e não se lembrará mais da humilhação de sua viuvez.
>
> Isaías 54:4

Neste capítulo, examinamos muitas facetas diferentes da vergonha e os problemas que ela causa. Mas o quê exatamente é a vergonha no sentido bíblico?

No Antigo Testamento, uma das palavras hebraicas usadas para expressar a ideia de sentir vergonha significa "ser confundido".[6]

De acordo com o dicionário, confundir é: "1. Fazer com que (uma pessoa) fique confusa: DESNORTEAR. 2. Deixar de distinguir: MISTURAR (confundir verdade e mentiras). 3. Envergonhar: EMBARAÇAR... 4. Amaldiçoar."[7]

Amaldiçoar, por sua vez, é "infligir perda a... 1. Pronunciar uma sentença negativa contra. 2. Ocasionar o fracasso de: RUÍNA... A. Condenar à punição eterna: MALDIZER."[8]

Que palavra terrível! Não é de admirar que o diabo tenha tantas pessoas que vivem por aí maldizendo a tudo e a todos!

O ponto é que se uma pessoa tem uma raiz de vergonha, se um indivíduo tem vergonha de si mesmo, então ele não gosta de si mesmo. Isso não significa que ele não gosta do que faz; significa que ele não gosta de quem é.

APRENDA A GOSTAR DE SI MESMO

Você e eu temos de aprender a lidar com o nosso *fazer* separadamente do nosso *ser*.

Eu não faço tudo certo o tempo todo, mas isso não significa que não sou uma filha de Deus ou que Ele não me ama. Cometi erros em minha vida, e ainda cometo, mas ainda gosto de mim mesma.

Se gostar de si mesmo ainda que ninguém mais goste, você terá êxito. Quando começar a gostar de si mesmo, as outras pessoas começarão a gostar de você também.

Olhe-se no espelho todas as manhãs e diga: "Gosto de você. Você é um filho de Deus. Você é cheio do Espírito Santo. Você é capaz. Você tem dons e talentos. Você é uma nova pessoa — e eu gosto de você!".

Se fizer isso e realmente acreditar nisso, fará maravilhas no sentido de ajudá-lo a vencer a raiz da vergonha em sua natureza.

Gostar de nós mesmos não significa que somos cheios de orgulho — significa simplesmente que nos aceitamos com criação de Deus. Todos nós precisamos de mudanças no nosso comportamento, mas aceitar a nós mesmos como a pessoa que Deus criou é vital para o nosso progresso.

A RAIZ DE VERGONHA NA NATUREZA DO HOMEM

Muitas pessoas vivem sob a maldição de um espírito de fracasso. Nunca conseguem fazer nada que se dispõem a fazer. Elas estão sempre fracassando, sempre estragando tudo, sempre se decepcionando, desanimando e se deprimindo. Elas não gostam de quem são. O motivo é porque possuem uma raiz de vergonha em sua natureza.

Durante muito tempo, eu não gostava da minha personalidade. E uma vez que a minha personalidade é quem eu sou, eu não gostava de mim. Eu não queria ser tão ousada e sincera como sou. Não queria ser direta e áspera.

Durante muito tempo tentei ser como a esposa de meu pastor, que tem o verdadeiro dom da doçura, gentileza e bondade. O que eu não entendia era que algumas pessoas simplesmente nascem assim.

Como eu não gostava da minha personalidade e de quem eu era, tentava me mudar, em vez de deixar Deus me mudar. Eu tentava ser como a esposa do meu pastor. Tentava ser a mulher perfeita, a esposa e mãe ideal que plantava seus próprios tomates e os enlatava, fazia geleia, costurava as roupas da família, e daí por diante.

Não deu certo. Eu estava tentando ser uma coisa que não sou. Finalmente, tive de aprender a apenas me olhar no espelho e dizer: "Joyce, eu amo você assim como você é, e vou conviver bem com você. Não vou mais ficar contra você".

Quando uma pessoa tem uma raiz de vergonha em sua vida, como eu tinha, ela passa a ser a fonte ou raiz de muitos problemas internos complexos como a depressão, a solidão e o isolamento, e a alienação. Todo tipo de transtornos compulsivos têm suas raízes na vergonha: as drogas, o álcool, e outros transtornos de ordem química; distúrbios alimentares como a bulimia, a anorexia, e a obesidade; vícios relacionados ao dinheiro como a sovinice e o jogo; problemas com a boca como praguejar ou a fofoca descontrolada; perversões sexuais de todo tipo; e a lista é interminável.

Falamos, por exemplo, de pessoas que são tão viciadas em trabalho que nunca conseguem desfrutar a vida. Se não estiverem trabalhando dia e noite elas se sentem irresponsáveis. Na verdade, algumas pessoas são como eu era; se estiverem se divertindo, elas se sentem culpadas por isso.

Outras se sentem culpadas por tudo que vai mal em suas vidas.

Um dos meus materiais de ensino é uma pregação em duas partes chamada "Quebrando o Ciclo dos Vícios". Nele, exploro muitos desses vícios compulsivos que assolam tantas pessoas hoje em dia.

Um desses vícios compulsivos é o perfeccionismo, que também pode ter suas raízes na vergonha. Algumas pessoas são atormentadas pelo perfeccionismo por causa do abuso ou de alguma outra situação negativa do passado. Elas ficam tentando ser perfeitas a fim de ter a atenção e o afeto que sentem que lhes foram negados.

Essas pessoas se predispõem ao fracasso. Estabelecem padrões tão altos para si mesmas que quando falham, elas se sentem mal consigo mesmas. Estabelecem programações impossíveis, e depois ficam desesperadas e deixam todos desesperados porque estão sempre correndo para todo lado tentando cumpri-las.

Nossa filha Sandra teve problemas com o perfeccionismo. Ela era tão perfeccionista que quase ficava louca. Tinha uma programação tão apertada que tudo na sua rotina diária era esquematizado minuto a minuto. Certa vez, ela se surpreendeu contando o tempo gasto passando roupas, porque ela tinha um cronograma preciso que determinava quanto tempo devia ser gasto para passar cada peça de roupa!

Se alguma coisa, como um telefonema, interrompesse sua agenda exigente, ela ficava nervosa e irritada. Se algum dos seus planos cuidadosamente programados dava errado, ela ficava fisicamente doente, irritando-se e se preocupando. Para a glória de Deus, Ele a libertou, e agora ela é uma pessoa equilibrada.

O problema com o perfeccionismo é que, por ser um alvo impossível, deixa a pessoa propensa a um complexo de inferioridade. Ela fica neurótica. Assume tanta responsabilidade que quando falha, automaticamente presume que é culpa sua. A pessoa acaba achando que é imperfeita porque não consegue atender seus objetivos nada razoáveis ou manter sua programação irreal.

Sandra achava que havia alguma coisa errada com ela porque não conseguia atingir os alvos irreais que estabelecia para si mesma. Ela finalmente aprendeu que o que a impelia era uma pressão demoníaca e não as exigências de Deus.

Às vezes esse perfeccionismo e essa tendência para a neurose levam ao ódio por si mesmo, que abre caminho para todo tipo de perigos profundos de ordem mental, emocional e espiritual.

Todas essas coisas terríveis são exemplos do fruto ruim de uma árvore má chamada vergonha. Mas existe uma resposta para tudo isso. Ela se encontra na Palavra de Deus.

UMA DUPLA RECOMPENSA

> Em lugar da vergonha que sofreu, o meu povo receberá porção dupla, e ao invés da humilhação, ele se regozijará em sua herança; pois herdará porção dupla em sua terra, e terá alegria eterna.
>
> Isaías 61:7

Se você está convencido de que possui uma natureza baseada na vergonha ou uma raiz de vergonha em sua vida, essa maldição pode ser quebrada através do poder de Deus.

Vimos em Isaías 54:4 e aqui em Isaías 61:7 que o Senhor prometeu remover a vergonha e a desonra de nós, a fim de que não lembremos mais delas. Ele prometeu que no lugar delas derramará sobre nós uma dupla benção para que possuamos o dobro do que perdemos, e que teremos alegria eterna.

Tome sua posição com base na Palavra de Deus. Torne-se uma pessoa enraizada e fundamentada, não na vergonha e na desonra, mas no amor de Cristo, sendo completo Nele.

Peça ao Senhor para operar um milagre de cura em sua mente, em sua vontade e em suas emoções. Deixe que Ele entre e realize o que veio fazer: curar o seu coração partido, tratar as suas feridas, lhe dar beleza em vez de cinzas, alegria em vez de pranto, vestes de louvor em vez de espírito angustiado, dupla honra em vez de dupla vergonha.

Decida-se que deste momento em diante você vai rejeitar as raízes da amargura, da vergonha, do negativismo e do perfeccionismo, e vai alimentar as raízes da alegria, da paz, do amor e do poder.

Atraia a linhagem de Jesus Cristo para sua vida e declare com ousadia que você está curado das dores e feridas do seu passado e que está livre para viver uma nova vida de saúde e integridade.

Continue a louvar o Senhor e a confessar a Sua Palavra sobre si mesmo, reivindicando o Seu perdão, a Sua purificação e a Sua cura.

Pare de se culpar e de se sentir culpado, indigno e não amado. Em vez disso, comece a dizer: "Se Deus é por mim, quem pode estar contra mim? Deus me ama, e eu me amo. Louvado seja o Senhor, sou livre em nome de Jesus, amém!".

Capítulo 9

Entendendo a Codependência

A "codependência", como geralmente é chamada, é uma expressão popular hoje em dia, não apenas no meio cristão, mas também nos círculos não cristãos.

Neste capítulo, gostaria de examinar esse problema a partir do meu ponto de vista pessoal e compartilhar com você algumas verdades bíblicas sobre ele que podem ajudá-lo a aprender a reconhecê-lo e a lidar com ele com mais eficácia.

DEPENDÊNCIA E VÍCIO

A fim de entender a codependência, precisamos primeiramente entender a dependência, que pode ser considerada um vício em comportamentos, pessoas ou coisas.

Embora costumemos pensar em vício como algo relacionado unicamente ao tabaco, ao álcool, às drogas ou a alguma outra substância nociva, não é este o caso. As pessoas podem se viciar em todo tipo de coisa, inclusive em outras pessoas. É possível ser viciado em preocupação, em planejamento excessivo, em racionalização, em controle, em gastos, e em uma série de outras coisas, tanto boas quanto más.

O problema com o vício é que ele evidencia uma falta de equilíbrio.

Como vimos em 1 Pedro 5:8, como crentes, você e eu devemos ser *equilibrados*. Por quê? Porque nosso inimigo, o diabo, anda em derredor como um leão faminto, procurando alguém a quem possa devorar. É por isso que nos é dito neste versículo para resistirmos a ele firmes na fé.

Creio que o excesso é o playground do diabo. Se existe alguma área em nossas vidas onde cometemos excessos, Satanás a usará para se aproveitar de nós.

Em termos gerais, um vício é alguma coisa que uma pessoa pensa ou sente que precisa ter, alguma coisa que não consegue tolerar ficar sem e que fará praticamente qualquer coisa para conseguir, inclusive coisas irracionais e sem sabedoria praticadas em desobediência a Deus.

Todos os vícios envolvem certa dose de comportamento obsessivo-compulsivo. Vamos dar uma olhada mais de perto nesse termo para ver o que ele realmente significa.

O COMPORTAMENTO OBSESSIVO-COMPULSIVO

De acordo com o Dicionário *Webster*, a palavra obsessão se refere a uma preocupação muitas vezes não razoável com alguma coisa, ou a uma motivação coercitiva para se fazer alguma coisa.[1] A pessoa obsessiva em alguma coisa pensa nela o tempo todo e fala sobre ela interminavelmente. Sua mente e sua boca estão constantemente focadas naquela única coisa.

Se ela pensa e fala sobre aquilo por tempo suficiente, ela se torna compulsiva, o que significa que se sente coagida a fazer o que quer que seja necessário para consegui-lo.

Deixe-me dar-lhe um exemplo da minha própria vida.

Houve um tempo em que eu adorava frozen yogurt. Se me permitisse pensar e falar sobre isso por muito tempo, eu ficava obcecada a ponto de sentir uma compulsão por entrar no carro e dirigir por quarenta e cinco minutos apenas para comprar um pote de 85 gramas.

Isto é comportamento obsessivo-compulsivo. Ele me controlava, e não era eu quem o controlava. Ainda gosto de frozen yogurt, mas de uma forma equilibrada.

Ora, todos nós fazemos coisas irracionais de tempos em tempos. Mas se nossa vida for marcada por atos irracionais constantes feitos para satisfazer as nossas compulsões e anseios humanos, então estamos com um problema. O diabo vai se aproveitar disso, tentando nos convencer de que não podemos controlar nossos pensamentos e desejos, e que não há como nos libertarmos do nosso comportamento obsessivo-compulsivo irracional, e até nocivo.

Tudo começa na mente e na boca, e brota de uma falta de equilíbrio e de autodisciplina.

A RESPOSTA PARA O COMPORTAMENTO OBSESSIVO-COMPULSIVO

Se o problema começa na mente e na boca, então a resposta para ele precisa vir da mente e da boca!

Andar dentro do melhor de Deus é muito mais fácil do que imaginamos. A melhor maneira de curar alguma coisa que nos aflige — mental, física, emocional ou espiritualmente — é fazer uma lista de passagens bíblicas que tratem com o nosso problema ou estado específico e começar a declará-las com a boca até que a revelação chegue à mente e ao coração.

Você se lembra do nosso remédio para os sentimentos de desamor? Era começar cada dia com a afirmação: "Deus me ama! Ele me ama!". O mesmo é verdade para qualquer coisa que nos incomode, nos perturbe ou nos cause dor, preocupação ou infelicidade.

Se prestássemos mais atenção no que se passa na nossa mente e no que sai da nossa boca, seriamos muito mais felizes e teríamos mais paz, saúde e vitória em nossa vida.

Os vícios são como qualquer outro problema mental, emocional ou físico que possamos ter. Eles podem ser curados com o tratamento correto. Até o comportamento obsessivo-compulsivo pode ser curado através do poder do Espírito Santo e da aplicação da Palavra de Deus.

ABSTINÊNCIA

Naturalmente, toda vez que é feito um esforço para vencer um vício impregnado, será preciso passar por um período de abstinência.

Quando tomei a decisão de deixar de me preocupar, de me afligir e de racionalizar, passei por sintomas terríveis de abstinência Todas as vezes que eu cedia e dava lugar ao meu desejo de me preocupar, de me afligir ou de racionalizar, eu me *sentia* melhor — por algum tempo. Depois eu me sentia pior porque havia fracassado de novo e tinha de começar tudo outra vez.

O mesmo princípio que se aplica aos vícios físicos ou químicos se aplica aos vícios mentais e emocionais. Assim como um fumante inveterado ou um viciado em álcool ou drogas tem de passar por determinada dose de dor ou pelo desconforto da abstinência a fim de romper seu hábito destrutivo, nós também precisamos passar por certa dose de dor ou desconforto para romper nossos vícios mentais ou emocionais.

Pode ser ainda pior quando aquilo em que somos viciados é outra pessoa ou um grupo de pessoas.

"PESSOAS, LUGARES E POSIÇÕES"

O que lhe importa? Quanto a você, siga-me!

JOÃO 21:22

Muito antes de ter ouvido falar do termo "codependência", preguei uma mensagem sobre a dependência e o vício que chamei de "Pessoas, Lugares e Posições".

Preguei essa mensagem porque havia uma coisa específica acontecendo em minha vida naquela época com a qual eu estava tendo que tratar, e achei que outros poderiam estar passando pelo mesmo tipo de experiência.

Eu havia me envolvido em um relacionamento com um grupo de pessoas de uma igreja onde ocupava um lugar de responsabilidade e uma posição importante. Era um lugar onde eu queria estar, e um cargo que eu queria ocupar, entre pessoas com as quais queria estar associada. O único problema era que Deus estava me chamando para abrir mão de tudo isso e seguir em frente para o que Ele tinha para mim. Eu não entendia por que estava tendo tanta dificuldade em ser obediente a Deus.

Agora sei que o motivo era porque eu estava dependente daquelas pessoas, daquele lugar, e daquela posição. Meu valor e dignidade eram determinados por todas aquelas coisas. Estava baseando meu senso de segurança, estima e realização nas pessoas com quem eu estava, em onde eu estava, e no que eu estava fazendo. Deus estava me pedindo para deixar tudo isso de lado e partir para os bastidores do nada, para começar tudo de novo.

Naturalmente, havia promessas envolvidas, assim como houve quando Deus chamou Abraão: "Se tu me obedeceres e fizeres o que estou pedindo, Eu ampliarei a tua tenda e tu te ampliarás para o norte, para o sul, e para o leste e para o oeste, e Eu te abençoarei e te farei uma bênção para outros...".

Mas assim como Abraão, para desfrutar as bênçãos prometidas, eu tinha de abrir mão do que achava que era a fonte da minha felicidade e segurança e me lançar, sem saber para onde estava indo ou o que estaria esperando por mim quando chegasse lá.

Eu não percebia que tinha um vício. Estava viciada e dependente daquelas pessoas, daquele lugar e daquela posição. Então, durante um ano inteiro, fui desobediente ao chamado do Senhor.

Como vimos, o viciado fará o que for preciso para satisfazer seu anseio, chegando ao ponto de fazer coisas sem sabedoria e irracionais em desobediência a Deus. Era isso que eu estava fazendo, embora não estivesse plenamente ciente disso naquele tempo.

DEPENDÊNCIA DAS PESSOAS

> Assim diz o Senhor: Maldito é o homem que confia nos homens, que faz da humanidade mortal a sua força, mas cujo coração se afasta do Senhor. Ele será como um arbusto no deserto; não verá quando vier algum bem. Habitará nos lugares áridos do deserto, numa terra salgada onde não vive ninguém.
>
> JEREMIAS 17:5-6

Se sua alma se sente seca, cansada e árida, pode ser porque você está colocando excesso de dependência na carne, e não está colocando dependência suficiente em Deus.

No meu caso, quando encarei o chamado de Deus para deixar para trás as pessoas, o lugar e o cargo nos quais estava tão viciada e dependente e ser obediente a Ele, tive de transferir minha dependência do homem para Deus. Tive de entender que a confiança nas pessoas, por melhores que elas sejam ou por mais que as estimemos, está tristemente fora de lugar.

DEPENDÊNCIA DE DEUS

> Mas bendito é o homem cuja confiança está no Senhor, cuja confiança nele está. Ele será como uma árvore plantada junto às águas e que estende as suas raízes para o ribeiro. Ela não temerá quando chegar o calor, porque as suas folhas estão sempre verdes; não ficará ansiosa no ano da seca nem deixará de dar fruto.
>
> Jeremias 17:7-8

Em Filipenses 3:3, o apóstolo Paulo nos diz que não devemos colocar nenhuma confiança na carne. Em vez disso, nossa confiança deve estar em Deus e em Deus somente. Ele é a Rocha imutável e eterna. Ele é Aquele que nunca vai nos deixar, nos abandonar ou nos decepcionar.

Em minha própria vida, cheguei ao ponto de ter de transferir minha dependência de outras pessoas para Deus.

Amo meu marido, e temos um bom relacionamento. Uma vez, comecei a pensar: *Ah, o que eu faria se Dave morresse? Ele é tão bom para mim e me ajuda de tantas maneiras! O que eu faria se ele não estivesse mais comigo?*

Quanto mais pensava sobre isso, mais angustiada e temerosa eu ficava. Então o Senhor teve de tratar comigo acerca disso. Ele me disse: "Eu vou lhe dizer o que você faria se alguma coisa acontecesse com Dave. Você seguiria em frente e faria exatamente o que está fazendo agora, porque não é o Dave quem está mantendo você de pé, sou Eu!".

É maravilhoso ter todo tipo de sistema humano de apoio, mas precisamos sempre permanecer firmes em Deus e Nele somente. Foi isso que Jesus fez.

JESUS COMO EXEMPLO

> Mas Jesus não se confiava a eles, pois conhecia a todos. Não precisava que ninguém lhe desse testemunho a respeito do homem, pois ele bem sabia o que havia no homem.
>
> JOÃO 2:24-25

Jesus, o nosso exemplo e o nosso modelo, não confiava nas pessoas porque conhecia a natureza humana. No entanto, Ele tinha comunhão com as pessoas, principalmente com Seus discípulos. Ele comia e bebia com eles. Ele ria e chorava com eles. Ele confidenciava-se com eles e compartilhava as coisas do Seu coração com eles. Eles eram Seus amigos, e Ele se importava com eles. Mas Jesus não confiava neles.

Creio que isso significa que Ele não se tornou dependente deles. Ele não se lançou inteiramente para eles. Não se permitiu chegar ao ponto de sentir que não poderia viver sem eles. Jesus se manteve deliberadamente em uma posição na qual dependia primeiramente de Deus, e de Deus somente.

O que o Senhor está nos dizendo em passagens como essa é que precisamos permanecer equilibrados. Precisamos amar o nosso próximo e manter uma boa comunhão com ele. Precisamos conviver bem com os outros diariamente. Mas nunca devemos cometer o erro de pensar que podemos confiar completamente nos outros.

Não existe um ser humano que nunca irá falhar conosco ou que nunca irá nos decepcionar ou magoar de alguma forma! Essa pessoa não existe no planeta terra!

Afirmar isso não é fazer um julgamento contra nosso cônjuge, nossa família ou nossos amigos. É simplesmente uma constatação precisa da natureza humana. Nós, humanos, não temos a capacidade de sermos totalmente confiáveis assim como não temos a capacidade de sermos absolutamente perfeitos.

Não pressione as outras pessoas esperando que elas nunca o decepcionem, nunca falhem com você ou nunca o magoem.

Como diz Tiago: "... todos nós tropeçamos e caímos e ofendemos de muitas maneiras..." (Tiago 3:2, AMP). É por isso que precisamos de Alguém que nos cure — Aquele que nos conhece e sabe o que estamos passando, porque Ele experimentou os mesmos sentimentos, emoções, pressões e tentações que nós, mas sem cair em pecado como nós caímos com tanta frequência.

MANTENDO O EQUILÍBRIO ADEQUADO

> Quanto a mim, que eu jamais me glorie, a não ser na cruz de nosso Senhor Jesus Cristo, por meio da qual o mundo foi crucificado para mim, e eu para o mundo.
>
> GÁLATAS 6:14

Neste versículo, o apóstolo Paulo deixa claro que não se gloriava em nada nem em ninguém, porque o mundo estava crucificado para ele e ele para o mundo.

Creio que ele queria dizer que mantinha todas as coisas — inclusive as pessoas, os lugares e as posições — em equilíbrio adequado em sua vida. Ele não dependia de ninguém nem de nada para ter alegria, paz e vitória no Senhor.

Se não tomarmos o cuidado de manter o equilíbrio adequado em nossa vida, podemos desenvolver vícios e até comportamentos obsessivos-compulsivos dos quais Satanás pode se aproveitar para nos destruir e para destruir nossa eficácia para Cristo.

No meu caso, se chegar ao ponto de achar que tenho de tomar frozen yogurt todas as noites, ou fazer compras todos os dias, ou ter pessoas me cercando o tempo todo para me dizer o quanto sou maravilhosa, então passo a estar viciada nessas coisas. Fico dependente delas para me dar a sensação de satisfação e realização pela qual anseio. Quando faço isso, estou olhando para o mundo para me dar o que só Deus pode me dar.

MORTO PARA O MUNDO, VIVO EM CRISTO

> Mantenham o pensamento nas coisas do alto, e não nas coisas terrenas. Pois vocês morreram, e agora a sua vida está escondida com Cristo em Deus.
>
> COLOSSENSES 3:2-3

Se você e eu nos permitirmos ficar viciados em coisas e em pessoas, e ficarmos dependentes delas, o diabo se aproveitará dessas coisas para nos gerar todo tipo de sofrimento. É por isso que devemos manter os nossos olhos em Jesus e não nas coisas desta terra, como Paulo nos diz em Colossenses 3:2-3. Assim como Paulo, você e eu estamos "mortos para este mundo" — e ele está morto para nós. Não devemos olhar para o mundo em busca de ajuda, mas para o Senhor.

Certa vez, em uma de minhas reuniões, eu estava impondo as mãos sobre as pessoas e orando por elas quando percebi uma mulher mais ou menos da minha idade encolhida no chão em posição fetal. Ela estava gritando e chorando: "Mamãe, preciso de você! Papai, preciso de você!".

A princípio, fiquei um pouco hesitante em fazer alguma coisa porque não sou psiquiatra — não sou treinada para lidar com pessoas em um nível psicológico. Mas então, ela começou a chorar: "Mamãe, não deixe o papai fazer isso!". Ficou bastante óbvio para mim que ela estava regredindo para um tempo na sua infância no qual havia sofrido abuso, talvez física e sexualmente, por parte de seu pai. Sua mãe deve ter tido conhecimento daquilo e não deve ter feito nada para ajudá-la. Seus pais provavelmente a haviam rejeitado e abandonado, por isso ela estava ferida e sofrendo desde então.

Ela continuava gritando e dizendo a mesma coisa: "Mamãe, preciso de você! Papai, preciso de você!".

Finalmente, cheguei ao ponto máximo que podia suportar. Comecei a dizer a ela: "Você não precisa da sua mamãe e do seu papai! Você tem o que você precisa! É Jesus! Não chore por uma coisa que você nunca vai ter! Agarre-se ao que você tem!".

Fiquei dizendo isso a ela até que, de repente, o Espírito Santo permitiu uma reviravolta na situação. Ela começou a dizer: "Não preciso da minha mamãe e do meu papai! Eu tenho o que preciso! Eu tenho Jesus!".

Ministrei sobre ela por algum tempo e depois a deixei com alguns outros conselheiros enquanto continuava ministrando e orando pelos outros. Quando voltei depois de trinta ou quarenta e cinco minutos para ver como estava, ela estava completamente controlada, e no domínio das suas emoções.

Você e eu nunca vamos ser saudáveis e estar bem mental ou emocionalmente enquanto pensarmos que temos de ter alguma pessoa ou alguma coisa. Pode ser bom ter essas pessoas e essas coisas, assim como seria bom para aquela mulher ter sua mãe e seu pai. Mas não precisamos de nada nem ninguém além de Deus para sobreviver! Precisamos permanecer dependentes do Senhor e não nos permitir ficarmos dependentes de ninguém nem de nada nesta vida.

DEPENDÊNCIA SOMENTE DE DEUS

Precisamos ser dependentes de Deus e somente Dele, e não dependentes de Deus e de mais alguém ou alguma coisa que achamos que precisamos para nos manter felizes.

Costumava pensar que nunca poderia ser feliz se meu ministério não crescesse. Mas ele não cresceu até que eu aprendesse que podia ser feliz ainda que ele nunca crescesse.

O Senhor então me disse: "Qualquer coisa que você *tenha* de ter além de Mim para ser feliz é algo que o diabo pode usar contra você". Uma pessoa gravou essa frase em uma placa para mim, e eu a coloquei no meu quarto para que fosse a primeira coisa que eu visse quando acordasse pela manhã. Queria me lembrar disso para nunca cometer o erro de ficar dependente de alguém ou de algo, a não ser do Senhor.

Em minha oração diária, às vezes digo: "Pai, existe uma coisa que quero, mas não quero ficar desequilibrada nem andar na Tua frente. Se for da Tua vontade, eu gostaria de ter isso. Mas se não for da Tua vontade, ficarei feliz sem isso porque quero que Tu sejas o Número Um em minha vida".

Acredito que se mantivermos as coisas na perspectiva correta e na prioridade correta, Deus pode nos dar muito mais do que jamais poderíamos ter ao buscarmos as coisas em vez de buscar a Deus e a Sua justiça (Mateus 6:33).

O VÍCIO NA APROVAÇÃO DOS HOMENS

> Ainda assim, muitos líderes dos judeus creram nele. Mas, por causa dos fariseus, não confessavam a sua fé, com medo de serem expulsos da sinagoga; pois preferiam a aprovação dos homens do que a aprovação de Deus.
>
> João 12:42-43

Muitas pessoas nunca recebem o melhor de Deus para elas porque são viciadas em ter a aprovação dos outros. Mesmo que saibam qual é a vontade de Deus para sua vida, não andam nela porque têm medo que seus amigos não entendam ou concordem.

É verdade que nem todos aprovam o mover e os métodos de Deus em nossa vida. Fui quase que totalmente rejeitada quando comecei a seguir a vontade de Deus para mim. Foi difícil ficar sozinha contra a reprovação dos outros. Durante aquele período aprendi que o que importa não é a opinião dos outros, mas sim o que Deus pensa.

Em Gálatas 1:10, Paulo escreveu: "Acaso busco eu agora a aprovação dos homens ou a de Deus? Ou estou tentando agradar a homens? Se eu ainda estivesse procurando agradar a homens, não seria servo de Cristo".

Não seja viciado na aprovação dos homens. Siga o seu coração. Faça o que você acredita que Deus está lhe dizendo para fazer e permaneça firme Nele e somente Nele.

DEFINIÇÃO DE CODEPENDÊNCIA

Agora que analisamos a dependência, que dissemos que é uma forma de vício em comportamentos, pessoas ou coisas, vamos analisar a codependência.

O dicionário define codependência como "um relacionamento no qual uma pessoa está fisicamente ou psicologicamente viciada como, por exemplo, em álcool ou jogo, e a outra pessoa está psicologicamente dependente da primeira de uma maneira não saudável".[2]

Assim, uma pessoa codependente é uma pessoa que está em um relacionamento com outro indivíduo que é viciado, obcecado ou controlado por alguma coisa nociva ou destrutiva.

Por exemplo, quando meu marido e eu nos casamos, eu era viciada em certos sentimentos emocionais como a ira. Durante noventa por cento do tempo eu estava furiosa com alguma coisa. Por ter sido vítima de abuso na minha infância e juventude, eu estava cheia de amargura e raiva reprimida. Se Dave não fosse muito seguro no seu relacionamento com o Senhor e em quem ele era em Cristo, poderia ter se permitido ser afetado pela minha atitude e comportamento.

Se ele tivesse feito isso, teríamos um relacionamento codependente, porque ele teria ficado dependente de mim, enquanto eu era dependente das minhas emoções.

Mas, graças a Deus, isso não aconteceu.

Uma das melhores coisas que meu marido já fez por mim foi recusar-se a permitir que eu o fizesse infeliz. Se você está em um relacionamento com alguém que é dependente de drogas, de álcool, ou de alguma outra substância nociva, e você ficou dependente dessa pessoa para ser feliz, você se tornou codependente. Embora não seja viciado na substância formadora do hábito que controla a vida dela, mesmo assim você é afetado por ela e está dependente dela. Cada um de vocês se tornou codependente um do outro.

Se você e eu não tomarmos cuidado, quando entrarmos em um relacionamento com outra pessoa que tem um vício, permitiremos que essa pessoa passe o problema dela para nós.

Você tem um relacionamento com alguém que o está deixando infeliz por causa do vício ou problema dele? Nesse caso, você precisa fazer alguma coisa sobre essa situação.

No meu caso, meu marido não se permitiu ficar codependente de mim, porque ele não permitia que eu passasse meus problemas para ele. Por exemplo, eu ficava furiosa com ele e queria discutir, mas ele simplesmente seguia o seu caminho em completa harmonia e paz. Eu costumava ficar tão irritada porque ele não queria ficar nervoso e brigar comigo, que gritava com ele: "O que há de errado com você? Você não é sequer humano!".

Não se permita ficar codependente de ninguém. Não deixe que outras pessoas passem o problema delas para você. Não permita que os outros o façam infeliz só porque eles são infelizes.

Se você tem uma família, não permita que seu cônjuge ou seus filhos controlem suas emoções e roubem sua alegria. Apenas porque eles talvez tenham tomado uma decisão que tornou a vida deles miserável, isso não significa que você é obrigado a se juntar a eles na sua miséria. Ajude-os com o problema deles se puder, mas não caia na armadilha de tentar resolver o problema de outras pessoas ou de tentar fazê-las felizes.

Isso não é possível!

Cada um de nós tem um livre arbítrio que nos foi dado pelo próprio Deus. Cada um de nós é responsável pela nossa própria felicidade. Se optarmos por nos permitirmos ficar infelizes, o problema é nosso, e não de outra pessoa. Da mesma forma, a escolha de outra pessoa de ser infeliz não é culpa nossa. Nenhum de nós é responsável pela felicidade de qualquer outra pessoa.

Não creio que entendamos que podemos ajudar uma pessoa principalmente quando não cedemos aos seus vícios emocionais.

Meu marido sempre foi bom para mim. Ele me amava e demonstrava isso. Todos os dias ele se oferecia para compartilhar o seu amor e alegria comigo, se eu quisesse. Mas ele nunca me impunha isso. Eu era livre para me juntar a ele na sua paz e felicidade, e ele era livre para não se juntar a mim na minha infelicidade e miséria.

É muito importante não permitirmos que as outras pessoas nos controlem e nos manipulem para nos tornarmos codependentes delas no seu cativeiro emocional.

Se o seu cônjuge é irado, infeliz ou triste, o problema é dele, e não seu. Se ele quer ficar sentado reclamando, gemendo, sofrendo ou chorando e gritando ou tendo um ataque de autopiedade, você não precisa se juntar a ele ou se sujeitar a isso.

Lembro-me de ficar irada com Dave porque ele queria jogar golfe todo fim de semana. Eu tentei tudo que podia para fazê-lo parar. Quanto mais eu tentava fazê-lo desistir, mais ele jogava.

Era enlouquecedor.

Ele me dizia: "Por que você não vem comigo para o campo de golfe?" Mas não era isso que eu queria. Eu queria que ele ficasse em casa comigo. Como eu não queria ir, também não queria que ele fosse. Mas ele ia e se divertia, enquanto eu ficava em casa e sentia pena de mim mesma o dia inteiro. Lá no fundo, eu estava apenas sendo teimosa. Mas era escolha e responsabilidade minha — e não de Dave.

Embora eu dependesse de certas coisas para permanecer feliz, Dave não se permitia ficar dependente da minha felicidade. Ele não se permitia ficar codependente de mim no meu vício emocional.

O PESADELO DO CONTROLE E DA MANIPULAÇÃO

> Mas eu disse: "Tenho me afadigado sem qualquer propósito; tenho gasto minha força em vão e para nada. Contudo, o que me é devido está na mão do Senhor, e a minha recompensa está com o meu Deus".
>
> ISAÍAS 49:4

Você tem ideia do pesadelo que é passar sua vida se esforçando em vão, desperdiçando sua força para nada, tentando continuamente manter tudo e todos ao seu redor sob controle?

Se tem, então Deus quer que você entenda que pode tomar a decisão de não ser mais assim. Você pode decidir não ser um controlador e manipulador.

Do mesmo modo, se você se permitiu ser controlado e manipulado, pode tomar a firme decisão de quebrar esse poder sobre sua vida.

A codependência não é algo que pode ser corrigido apenas através da oração. É preciso decisão e força de vontade por parte daquele que está preso nela.

Se você é viciado em alguma espécie de substância não saudável como o tabaco, o álcool ou as drogas, então sabe que precisa fazer algum esforço para vencer esse hábito.

O mesmo se aplica se você é viciado em trabalho, ou em gastar dinheiro, ou se é um planejador excessivo, ou é viciado em preocupação. Para quebrar esse ciclo de vício, você precisa fazer mais do que apenas orar — precisa também assumir o compromisso de quebrar esse hábito através do poder de Deus.

Do mesmo modo, se você é dependente de alguém que é viciado em alguma substância ou atividade nociva, você precisa tomar uma atitude. Precisa decidir que não irá permitir que os problemas dessa pessoa façam com que você fique desequilibrado.

Como você pode saber quando está ficando desequilibrado? Você pode saber disso porque começará a perder sua paz e alegria.

Se você é como eu, passou muito tempo tentando controlar tudo e todos ao seu redor em uma vã tentativa de se proteger para nunca mais ser ferido outra vez. Você precisa aprender a abrir mão dos seus esforços infrutíferos, porque se não fizer isso, acabará como eu, tendo se esforçado em vão e desperdiçado a sua força para nada.

Você precisa aprender o que eu aprendi, isto é: abrir mão de se esforçar e simplesmente se colocar nas mãos de Deus, confiando Nele para lhe dar a sua recompensa.

O MEDO

> No amor não há medo; pelo contrário o perfeito amor expulsa o medo, porque o medo supõe castigo. Aquele que tem medo não está aperfeiçoado no amor.
>
> I João 4:18

Enquanto o codependente está no controle, ele se sente seguro. Quando perde esse controle, ele se sente vulnerável e ameaçado, então fica irritado, irado e na defensiva.

Se isso descreve você, então precisa se concentrar em saber o quanto Deus ama você, e esse perfeito amor lança fora o medo. Você não precisa ter medo de perder ou de ser ferido, porque o amor de Deus o cerca, o envolve e o protege.

O COMPLEXO DE SALVADOR

> Por que você repara no cisco que está no olho do seu irmão, e não se dá conta da viga que está em seu próprio olho? Como

> você pode dizer ao seu irmão: "Deixe-me tirar o cisco do seu olho", quando há uma viga no seu? Hipócrita, tire primeiro a viga do seu olho, e então você verá claramente para tirar o cisco do olho do seu irmão.
>
> MATEUS 7:3-5

Além do medo, um codependente geralmente tem um falso senso de responsabilidade. Ele acha que é seu dever consertar tudo. Acha que tem de tomar conta de todos aqueles que encontra e assegurar que eles se sintam bem e se divirtam.

O resultado final é que o codependente geralmente acaba frustrado e esgotado porque é impossível manter tudo nos eixos e em perfeita ordem de funcionamento e todos felizes e satisfeitos.

O codependente é realmente tão culpado quanto o dependente. Se você está vivendo com um controlador, e tenta fazer o melhor para manter essa pessoa feliz se sacrificando para atender às expectativas ou exigências dela, você é um permissivo.

Algumas pessoas ficam viciadas em ser maltratadas. Elas ficam tão acostumadas ao abuso que acham que o merecem. Também podem pensar que o comportamento daquele que comete o abuso é de algum modo culpa delas. É por isso que continuam a fazer tudo que podem para manter a outra pessoa feliz para que elas sejam bem tratadas.

Se você se vê nesta descrição da pessoa codependente, aprenda a relaxar. Pare de assumir o fardo de tudo e os ais de todos. Não se convença de que você deve ser o salvador do mundo — essa função já foi preenchida! Faça o que você pode fazer pelas pessoas *de forma razoável.*

Se você está sempre tentando resgatar todas as pessoas que entram em contato com você, está ferindo a você e a elas. Enquanto tentar fazer tudo por todos, você ficará frustrado e decepcionado, e eles nunca aprenderão a fazer nada por si mesmos.

Não desenvolva o complexo de salvador. Não tente usurpar o papel de Jesus Cristo. Não se torne pessoalmente responsável por outras pessoas e pelos seus problemas. Em vez disso, dê prioridade a resolver seus próprios problemas, e então você poderá cuidar dos problemas dos outros.

CODEPENDÊNCIA E BAIXA AUTOESTIMA

Uma pessoa codependente geralmente tem baixo nível de autoestima e em geral lhe falta maturidade.

Pessoas maduras não ficam emocionalmente e espiritualmente destruídas com cada erro que cometem. Elas são capazes de manter algum tipo de equilíbrio em sua vida.

A libertação da codependência se baseia no desenvolvimento de um senso de valor separado do que a pessoa faz. Se uma pessoa não é codependente, ela é capaz de permanecer sozinha em Cristo.

Se você está livre da codependência, não é dependente das pessoas, dos lugares ou das posições. Você não precisa se relacionar com determinada pessoa ou certo grupo de pessoas, estar em certo lugar, ou ocupar determinada posição a fim de se sentir seguro e confiante.

Se você está livre da codependência, não acha que tem de estar no controle de tudo e de todos. Você pode permitir que os outros façam suas próprias escolhas sem se sentir ameaçado ou responsável por eles. Você não acha que tem de tentar resolver todos os problemas ou satisfazer todas as pessoas.

Se você está livre da codependência, pode se firmar sobre os seus próprios pés e confiar em Deus para lhe dar seu senso de valor e dignidade e não na opinião dos outros ou nas circunstâncias externas. Você é capaz de resistir a ser controlado ou manipulado.

Você está livre do cativeiro da codependência porque sabe quem é em Cristo e confia no Senhor para sustentá-lo.

CONFIE EM DEUS

Nos meus seminários sobre codependência, encorajo as pessoas a ouvirem a Deus e depois a fazerem o que Ele diz.

Se o Senhor colocou você em uma situação, Ele é poderoso o bastante para cobri-lo com a Sua graça e para lhe mostrar a maneira mais sábia de lidar com essa situação para que você não seja ferido por ela.

Talvez não seja agradável viver nessa situação, mas você precisa lembrar que o nosso Deus é um Deus que nos capacita. Se continuar a colocar a sua confiança Nele, Ele o sustentará até à vitória.

Mesmo que você esteja vivendo com um controlador ou com um manipulador ou mesmo com uma pessoa ímpia, não desanime. Deus pode mudar a pior e mais dura pessoa desta terra. Ele pode transformar os piores casos e usá-los para a Sua glória.

Se você está preso em uma situação de codependência, Ele pode direcioná-lo a falar com o controlador. Ele pode movê-lo a confrontar aquele que está tornando sua vida miserável. Se você tem medo de fazer isso, Ele lhe dará a coragem que você precisa para tomar uma posição.

Ele também lhe dará a sabedoria e a coragem para não ser maltratado e para que essa pessoa não se aproveite de você. Se você vive com um perfeccionista, por exemplo, Ele o ajudará a não se tornar infeliz tentando fazer o impossível para manter essa pessoa feliz.

O problema é que se você deixou essa situação durar por anos, será difícil confrontar a pessoa.

No meu caso, Dave conviveu com meus erros por muito tempo, mas finalmente começou a me confrontar e a me mostrar que eu precisava mudar.

Foi difícil. Embora eu quisesse mudar e fazer o que sabia que era a vontade do Senhor, foi preciso coragem e compromisso para fazer isso.

Com a presença e o poder do Espírito Santo dentro de você, isso pode ser feito. Você pode se libertar de uma maneira segura sendo obediente ao Senhor e confiando Nele para libertá-lo.

FÉ OU MEDO?

> Mas aquele que tem dúvida é condenado se comer, porque não come com fé; e tudo o que não provém da fé é pecado.
>
> ROMANOS 14:23

É possível permitir que alguém nos controle e manipule, dizendo honestamente que estamos fazendo isso por fé? É claro que não! Sabemos que esse tipo de comportamento tem sua raiz no medo, e não na fé. A fé obedece a Deus, mas o medo é facilmente intimidado e encontra muitas desculpas para a desobediência.

Uma pessoa perfeccionista, uma pessoa viciada em trabalho, ou uma pessoa envolvida com perversão sexual é simplesmente tão dependente quando alguém que é viciado em uma substância química como o tabaco, o álcool, ou as drogas. Se tentarmos atender às necessidades daquela pessoa à custa das nossas próprias necessidades, somos codependentes dessa pessoa.

Suponhamos, por exemplo, que vivamos com um hipocondríaco. Se não tomarmos cuidado, poderemos ficar codependentes das doenças imaginárias daquela pessoa.

Todos nós queremos ter compaixão dos doentes. Certamente queremos ser gentis e cuidadosos com eles. Mas pode ser que eles não estejam realmente fazendo sua parte para se restabelecerem. Eles estão simplesmente usando nossa preocupação e compaixão como um meio de atrair a atenção para eles. Talvez tenham sofrido abuso no passado e estejam tentando conseguir de nós o que perderam na infância.

É bom ajudar as pessoas que foram feridas, mas quando suas necessidades emocionais começam a nos controlar, corremos o risco de sermos guiados por elas e pelos seus problemas em vez de sermos guiados pelo Espírito Santo de Deus. Se tentarmos suprir as necessidades de outra pessoa pagando o preço de nunca sermos livres para fazer o que achamos que devemos fazer, somos codependentes daquela pessoa e do seu problema.

Se virmos que este é o caso e não fizermos nada a respeito por medo da lealdade ser colocada no lugar errado, nos tornamos codependentes. A fé faz com que nos levantemos e digamos ou façamos o que Deus coloca no nosso coração, o medo faz com que fiquemos timidamente sob o controle e o domínio de outro.

Lembre, as pessoas carentes de atenção podem usar suas fraquezas ou doenças emocionais para nos controlar. Quantas vezes ouvimos pessoas manipuladoras dizerem coisas do tipo: "Estou velho, e você não se importa nem um pouco comigo agora", ou "Eu criei você a vida inteira; eu me sacrifiquei para dar casa e roupas a você e para lhe dar estudo, e agora você quer simplesmente me deixar aqui sozinha?".

Há um equilíbrio a ser mantido em situações como esta. Esse equilíbrio é o Espírito Santo dentro de nós para nos guiar à verdade de cada situação e circunstância em que nos encontremos. Ele nos dará a sabedoria para sabermos quando devemos ser adaptáveis e ajustáveis e quando devemos tomar uma posição firme e ser imutáveis.

Tenha sempre em mente que *a fé obedece a Deus, e o medo é facilmente movido por emoções desenfreadas!*

CODEPENDENTE, INDEPENDENTE, OU DEPENDENTE DE DEUS?

Às vezes, podemos ser a pessoa que é dependente de alguém ou de alguma coisa. Outras vezes, podemos ser a pessoa de quem alguém é dependente.

Também podemos nos tornar independentes. Isto é, podemos decidir que não precisamos de ninguém — inclusive de Deus. Podemos decidir fazer as coisas do nosso jeito, sem permitir que fiquemos dependentes de outros, nem que outros fiquem dependentes de nós.

Também podemos ficar codependentes, como mencionamos.

Finalmente, podemos ficar dependentes de Deus, que é a resposta para todos esses problemas de desequilíbrio emocional.

Por exemplo, na minha infância e juventude, eu era codependente da pessoa que estava usando e abusando de mim. Essa pessoa, que era dependente do álcool e de outros vícios, controlava minha vida completamente, de modo que eu não tinha absolutamente nenhuma liberdade.

Quando saí desse relacionamento codependente, tornei-me controladora e manipuladora, tentando fazer os outros se tornarem codependentes de mim e da minha necessidade de atenção e afeto. Era assim que eu era quando me casei e foi este o motivo pelo qual meu marido teve de me confrontar a respeito disso.

Meu problema era um desequilíbrio emocional, uma falta de objetividade. Por causa do meu histórico, simplesmente não conseguia julgar as coisas adequadamente. Eu não sabia como agir normalmente porque não sabia o que era normal. Reagia com base nas minhas emoções e não segundo o bom senso, a sabedoria, e a Palavra de Deus em mim como crente.

Por exemplo, se Dave estivesse corrigindo nossos filhos, eu interferia e começava a defendê-los. Dave tentava me dizer que não os estava maltratando, mas devido ao fato de ter sido maltratada, eu tinha dificuldades em ver aquilo. Sempre queria ser a pessoa que os corrigia porque achava que eu faria a coisa certa. Na verdade, às vezes queria ser mais dura com eles do que Dave, mas confiava em mim mesma, e não confiava nele.

Eu era uma pessoa viciada em controle. Sempre queria estar no comando de tudo porque não confiava em ninguém a não ser em mim mesma. Parte do que Deus teve de me ensinar foi a confiar Nele e não nas minhas emoções. Tive de aprender a dar ouvidos ao meu bom senso que me dizia que Dave não iria machucar os nossos filhos ou a mim, e que eu podia confiar a ele a vida deles e a minha. Tive de aprender a não ser independente, ou codependente, mas a ser dependente de Deus.

AFASTE-SE, DECIDA E AJA

O primeiro passo para vencer a codependência e se tornar dependente de Deus é identificar o problema.

Deixe-me dar-lhe um exemplo.

Há algum tempo, tive uma amiga que tinha uma personalidade forte e um temperamento explosivo. Ela tinha muitos problemas com seu marido e ficava irada com muita facilidade. Eu permitia que ela me controlasse e me manipulasse porque não queria contrariá-la ou estimular sua raiva.

Nesse caso, eu precisava identificar o meu problema. Depois, precisava me afastar dele. Precisava sair para algum lugar onde eu pudesse analisar o que estava acontecendo e dar o próximo passo, que era decidir o que fazer a respeito.

Aquela jovem mulher me telefonava com frequência e perguntava se podia vir falar comigo. Quando isso acontecia, ela ficava comigo durante a maior parte do dia e destruía os planos que por acaso eu tivesse. Eu tentava dizer a ela que precisava ficar a sós com o Senhor, mas ela perguntava se podia vir, e eu sempre cedia e dizia sim.

Embora soubesse que o que ela estava me pedindo não era o melhor para mim, permitia que meu medo da raiva dela cancelasse o que eu sabia que era a vontade de Deus para mim. Então acabava fazendo o que ela esperava que eu fizesse em vez do que eu queria e precisava fazer. Eu estava fazendo tudo que era necessário para mantê-la "ligada".

Desde então, aprendi que o que eu precisava fazer naquela situação era me afastar, dizendo: "Posso lhe telefonar de volta em alguns minutos? Tenho algumas coisas que preciso resolver e depois volto a falar com você". Então eu poderia ter recuado e saído daquela situação angustiante e orado: "Tudo bem, Senhor, o que Tu queres que eu faça aqui? Tu queres que eu me adapte e ajuste os meus horários e deixe esta mulher vir por amor a ela? Ou Tu queres que eu mantenha a minha posição e faça o que eu pretendia fazer hoje?".

É impressionante! Quando você se afasta dessas situações de pressão e permite que as suas emoções se acalmem consegue agir com muito mais bom senso e sabedoria. Então, se o Senhor lhe disser para fazer algo que você sabe que vai ser difícil, você pode reunir as forças e a coragem para fazer isso.

Nesse caso, se o Senhor tivesse me dito "Confronte esta situação e diga a esta mulher que você precisa passar tempo a sós comigo", eu poderia ter pedido a força para fazer isso e não ter me permitido ser manipulada ou controlada ou intimidade por ela.

Essa é a beleza de irmos ao Senhor em oração. Ele está sempre ali para nos ajudar a fazer o que precisamos fazer. Independentemente do que possamos enfrentar na vida, podemos sempre identificar, nos afastar e decidir. Então o passo final é simplesmente agir.

Mas precisamos estar certos de que a ação que tomamos é a ação correta.

GRUPOS DE RECUPERAÇÃO PARA CODEPENDENTES

> Vistam toda a armadura de Deus, para poderem ficar firmes contra as ciladas do diabo, pois a nossa luta não é contra pessoas, mas contra os poderes e autoridades, contra os dominadores deste mundo de trevas, contra as forças espirituais do mal nas regiões

> celestiais. Por isso, vistam toda a armadura de Deus, para que possam resistir no dia mau e permanecer inabaláveis, depois de terem feito tudo.
>
> Efésios 6:11-13

Existem muitos grupos de recuperação de codependência disponíveis hoje em dia. Gostaria de compartilhar com você alguns dos benefícios e perigos associados a eles.

Primeiramente, muitos desses programas são voltados para a Nova Era. Eles envolvem conceitos e práticas que não são biblicamente saudáveis.

Um exemplo é a maneira de lidar com a raiva. Alguns ensinam que quando uma pessoa sente raiva, ela deve ficar sozinha em um quarto e liberar essa raiva descarregando-a em algum objeto inanimado, como um móvel. Em minha opinião, esse não é o tipo de atividade em que um cristão deveria se envolver.

Lembro-me de uma senhora cristã que compartilhou comigo que havia participado de um desses grupos por algum tempo. Ela me disse que seu conselheiro fez com que ela ficasse batendo em um travesseiro para descarregar suas frustrações e sua raiva. Tive de dizer a ela que, em minha opinião, essa prática não era bíblica.

Tenho uma pregação nas minhas séries intitulada "Beleza em vez de Cinzas" onde trato com a ira reprimida de um ponto de vista bíblico. Nele, menciono que como nos é dito em Efésios 6:11-13, nossa batalha não é apenas com as nossas emoções, mas com as forças espirituais que se aproveitam das nossas emoções.

Na versão King James dessa passagem, nos é dito que não guerreamos contra a carne e o sangue (isto é, com a nossa própria natureza humana), mas contra os principados e potestades (isto é, com entidades espirituais fortes).

Mas mesmo assim não podemos combater trevas contra trevas. Creio que a melhor maneira de resistirmos e vencermos os nossos poderosos inimigos espirituais não é dando vazão à nossa raiva e frustração de uma maneira carnal, mas nos rendendo ao poder e à presença do Espírito Santo dentro de nós.

Outra senhora me contou que ela estava em um grupo de recuperação de codependência em sua igreja. Enquanto eu a ouvia descrever o programa, percebi que embora ele tivesse muitas coisas boas e provavelmente fosse útil para muitas pessoas, esse programa específico não era completamente baseado nas Escrituras. Também existem outros bons programas, mas esse estava misturando as Escrituras com as coisas do mundo, o que é perigoso!

Quando perguntei a ela sobre o programa, ela respondeu: "Realmente estou gostando dele e acho que é bom. Mas algumas coisas estão me preocupando". Ela estava dizendo na verdade que o Espírito de Deus estava lhe dando uma advertência a respeito daquilo.

Então ela prosseguiu dizendo: "Ouço os cristãos dizerem: se você tem um problema de codependência, o Senhor vai libertar você. Apenas creia na Palavra e tudo vai dar certo".

Ela explicou que havia sofrido muito abuso na juventude e que não estava tendo alívio completo dos seus problemas emocionais através do programa de sua igreja. Ela queria saber o que eu pensava a respeito.

Eu disse a ela: "Acredito firmemente que a cura emocional não é tão simples quando dizer: 'Você é uma nova criatura em Cristo, portanto ande como uma delas'". Então expliquei que embora legalmente sejamos novas criaturas em Cristo, no campo da experiência, temos de encarar e tratar com o fruto mau em nossas vidas que é resultado das raízes más do passado.

É verdade que a Palavra de Deus é a verdade, e que é a verdade que nos liberta (João 17:17; 8:32). Mas também é verdade que precisamos aplicar a Palavra de Deus, a Palavra da Verdade, às nossas vidas para que ela possa ter algum efeito duradouro sobre nós. Temos de permitir que o Espírito Santo revele na nossa mente e o nosso coração quais são as coisas que precisam ser enfrentadas e tratadas à luz da Sua Palavra.

Para sermos libertos, precisamos saber de que é que estamos sendo libertos e como resistir a essas coisas para que elas não voltem.

SERVO DE DEUS OU SERVO DE SI MESMO?

> Porque, embora seja livre de todos, fiz-me escravo de todos, para ganhar o maior número possível de pessoas.
>
> 1 Coríntios 9:19

Depois de tratar com este tema da cura emocional por anos, comecei a ver algo que me perturbou. Vi que muitas pessoas fazem da cura uma religião. Elas estabelecem uma pequena religião codependente em separado da Igreja de Jesus Cristo. Elas se rotulam e rotulam os outros de codependentes, e depois estabelecem todo um sistema de crenças e práticas com base no seu estado e na maneira como elas encaram a cura para isso.

O problema é que essas pessoas estão tão preocupadas com os seus rituais e práticas que parece que nunca são curadas. Elas apenas trabalham nisso o tempo todo.

Se você faz parte de um grupo de recuperação de codependência, não estou dizendo que você deve abandoná-lo. Estou apenas lhe advertindo para não deixar que ele se torne o centro de sua vida. Não fique tão envolvido nele a ponto de que você e todos em sua vida sejam consumidos exclusivamente pelo problema.

Nunca use seu problema como uma desculpa para as más atitudes ou o mau comportamento.

Se você está inscrito em um programa, frequente-o e conclua o curso. Depois, quando ele terminar, você deve se "formar" e seguir em frente com a vida. Não passe o resto do seu tempo nesta terra concentrando sua atenção em algo que precisa ser encarado, tratado, e depois deixado para trás de uma vez por todas.

SEJA TRANSFORMADO PELA PALAVRA

> E todos nós, que com a face descoberta contemplamos a glória do Senhor, segundo a sua imagem estamos sendo transformados com glória cada vez maior, a qual vem do Senhor, que é o Espírito.
>
> 2 Coríntios 3:18

Outro perigo dos grupos de recuperação de codependência é a tendência que possuem de rotular como doença o que na verdade é pecado. A Bíblia não ensina que os vícios são doenças, mas que são pecados. Eles são áreas que tiveram a permissão de ficar em desequilíbrio — áreas que não estão sendo submetidas ao fruto do domínio próprio e que precisam ser colocadas sob controle através da ajuda do Espírito Santo.

Pode haver casos raros em que algum comportamento vicioso se deve a um desequilíbrio químico ou a algum tipo de problema físico, mas essas situações não são a maioria. Se essa porta for deixada aberta, quase todos prefeririam pensar que seu problema era algo que não podiam controlar, em vez de assumirem a responsabilidade por seus atos.

Se você está envolvido ou afetado por alguma coisa que é pecaminosa, precisa reconhecer esse pecado, confessá-lo a Deus, pedir perdão, se arrepender por isso e depois seguir em frente com a vida. Você não precisa passar o resto da vida se sentindo culpado. Você pode ser perdoado e completamente restaurado pela misericórdia e pelo poder de Deus.

Entendo que quebrar vícios como o alcoolismo, o uso de drogas, a perversão sexual, os distúrbios alimentares, o jogo, etc., não é fácil, mas acredito sinceramente que o padrão para libertação é o mesmo para qualquer outro problema ou pecado. Quebrar vícios fortes pode exigir um apoio extra dos entes queridos ou uma ajuda adicional do Espírito Santo, mas a libertação total virá quando seguirmos a direção do Espírito Santo e nos recusarmos a viver em cativeiro.

Se não tomarmos cuidado, faremos como as pessoas carnais e encontraremos uma desculpa para os nossos pecados. As únicas pessoas que vão alcançar a maturidade espiritual são aquelas que estão dispostas a buscar na Palavra de Deus, a se verem como elas são, e depois permitirem que o Espírito Santo as guie e direcione na mudança dessa imagem.

SEJAM PRATICANTES DA PALAVRA E NÃO APENAS OUVINTES

> Sejam praticantes da palavra, e não apenas ouvintes, enganando-se a si mesmos. Aquele que ouve a palavra, mas não a põe em prática, é semelhante a um homem que olha a sua face num es-

> pelho e, depois de olhar para si mesmo, sai e logo esquece a sua aparência.
> Mas o homem que observa atentamente a lei perfeita que traz a liberdade, e persevera na prática dessa lei, não esquecendo o que ouviu mas praticando-o, será feliz naquilo que fizer.
>
> TIAGO 1:22-25

Se você e eu quisermos ser libertos do nosso cativeiro, seja ele qual for, precisamos nos tornar praticantes da Palavra e não ouvintes apenas. Do contrário, estaremos nos enganando e andando de forma contrária à verdade.

É a verdade e somente a verdade que nos liberta. Para que essa verdade opere em nossas vidas, precisamos ser responsáveis. Não podemos tentar desculpar os nossos pecados e fraquezas. Em vez disso, precisamos nos tornar servos de Deus e não da nossa natureza humana. Precisamos ser dependentes do Senhor e não de nós mesmos, de outras pessoas, ou de coisas.

Há benefícios a serem extraídos dos grupos de recuperação de cura emocional se eles forem biblicamente saudáveis e dirigidos por pessoas maduras. Esses benefícios incluem a oportunidade de falar com outros que estão passando ou que passaram pelo mesmo tipo de experiência. Esse tipo de experiência compartilhada e de compreensão mútua parece ser importante para aqueles que estão sofrendo.

As pessoas parecem se sentir confortáveis falando comigo sobre o abuso que sofreram porque sabem que passei pelo que elas estão passando. Frequentemente elas me dizem que lhes dá esperança saber que alguém conseguiu superar toda a dor e infelicidade e agora está curado.

Também é bom ter um tempo separado toda semana que seja dedicado a encarar alguns desses problemas mais profundos. Isso impede que as pessoas os empurrem para o fundo e finjam que eles não estão ali. É bom prestar contas a outros, e um grupo cheio do Espírito Santo e dirigido pelo Espírito Santo pode oferecer aquela atmosfera de prestação de contas sem julgamento.

A cura também pode vir diretamente do Espírito Santo e da Palavra de Deus. Ela não tem de vir através de qualquer outro agente. Se Deus optar por usar uma pessoa ou um grupo, isso é escolha Dele. Mas é importante ter certeza de que a escolha foi Dele e que não se trata de uma tentativa desesperada de conseguir ajuda a qualquer preço.

Satanás está esperando para destruir aqueles que já estão feridos. Em geral as pessoas emocionalmente feridas são enganadas facilmente. Elas estão sofrendo tanto que é provável que se agarrem a qualquer um e a qualquer coisa que lhes ofereça ajuda.

Talvez eu pareça um pouco superprotetora, mas prefiro ser excessivamente cautelosa a ver as pessoas enganadas e levadas para um cativeiro pior do que aquele onde já estão.

O ponto principal é este: Deus é o seu Ajudador. Ele é quem cura você. Ele tem um plano personalizado para a sua libertação. Certifique-se de saber qual é, e depois comece a andar por ele um passo de cada vez.

Não permita que suas emoções feridas controlem a sua decisão nessas questões. Siga a paz e ande em sabedoria!

Capítulo 10

Restaurando a Criança Interior

Outra coisa que ouvimos falar muito nos últimos anos é a criança interior. Acredito que todo adulto saudável deve ter uma criança dentro dele. Com isso quero dizer que cada indivíduo deve ser responsável, porém despreocupado.

CRESCENDO RÁPIDO DEMAIS

> Chamando uma criança, colocou-a no meio deles, e disse: "Eu lhes asseguro que, a não ser que vocês se convertam e se tornem como crianças, jamais entrarão no Reino dos céus".
>
> MATEUS 18:2-3

Você sente que quando era criança foi obrigado a crescer depressa demais? Nesse caso, você deve saber que isso acontece com muita gente. Quando isso acontece, elas perdem alguma coisa, e essa perda é prejudicial à vida adulta delas.

Como adultos, devemos ser capazes de realizar coisas em nossas vidas sem nos sentirmos sobrecarregados. Devemos ser responsáveis e, no entanto, despreocupados o suficiente para desfrutarmos nossa vida diária, e até o nosso trabalho, como lemos em Eclesiastes 5:18: "Assim, descobri que o melhor e o que vale a pena é comer, beber, e desfrutar o resultado de todo o esforço que se faz debaixo do sol durante os poucos dias de vida que Deus dá ao homem, pois essa é a sua recompensa".

Na verdade, acredito que devemos ser capazes de desfrutar cada coisa que fazemos.

Há alguns anos, esse fato foi trazido à minha atenção porque percebi que tinha quarenta anos, era casada com quatro filhos, e, no entanto, não podia dizer que jamais tivesse realmente desfrutado muito da minha vida.

João 10:10 nos diz que Jesus disse que veio a esta terra para que você e eu tivéssemos vida e a desfrutássemos ao máximo.

Há algum tempo, preparei uma série intitulada "A Arte Perdida de Desfrutar a Vida", depois escrevi recentemente um livro sobre o assunto, *Desfrutando o Lugar Onde Você Está Enquanto Está a Caminho do Lugar Para Onde Está Indo.* Realmente creio que nós nos esquecemos de como desfrutar a vida. Precisamos aprender a sermos como crianças, porque se existe uma coisa que uma criança sabe fazer é desfrutar — toda e qualquer coisa. Mas quando uma criança é obrigada a crescer depressa demais sem que lhe seja permitido viver sua infância, geralmente o resultado são graves problemas emocionais.

Acredito que as pessoas hoje obrigam seus filhos a crescerem depressa demais. Os pais estão tão ansiosos que seus filhos aprendam a ler, escrever, e tenham uma vantagem inicial na vida, que não permitem que eles sejam apenas crianças. Em algum momento chegamos à ideia errônea de que quanto mais coisas pudermos comprimir na mente de uma criança, mais esperta e mais feliz ela será e mais sucesso ela terá na escola e na vida.

Ora, não sou contra educar as crianças! Os pequenos devem ser encorajados a aprender rapidamente e facilmente e a se sobressaírem nos estudos. Mas eles não devem ser obrigados a assumirem responsabilidades além de sua idade. Eles precisam de uma oportunidade para serem apenas eles mesmos e para desfrutarem a vida antes de assumirem os fardos pesados da vida adulta.

No meu próprio caso, eu odiava a infância. Queria desesperadamente crescer para que ninguém mais pudesse me molestar ou maltratar. Seja lá o que fosse que a infância devesse ser, ela foi roubada de mim. O que eu tinha como substituto dela era algo de que eu não gostava nem queria. Então cresci sem saber nada sobre ser como uma criança. Minhas lembranças do tempo de criança eram muito dolorosas para mim.

É isso que o abuso faz: ele rouba a infância de uma pessoa. O mesmo acontece quando uma criança é selada com uma responsabilidade pesada demais para suportar na sua idade. Ela pode ter de cuidar de um parente doente, ou ocupar na família o lugar de uma mãe ou pai ausente. Ela pode ser forçada a trabalhar fora mais cedo do que deveria.

Comecei a trabalhar por volta dos treze anos. Menti minha idade, dizendo que tinha dezesseis anos. Fiz isso porque precisava cuidar de mim mesma, ganhar o meu próprio dinheiro para não ter de pedir nada a ninguém. Eu estava decidida a não mais permitir alguém me dar qualquer coisa, porque eu não queria me sentir obrigada a nada.

Eu tinha a personalidade de uma trabalhadora, e ainda tenho. A trabalhadora natural em mim, somada ao abuso que sofri, me transformaram em uma "viciada em trabalho". Eu me sentia confortável, feliz e realizada somente quando estava trabalhando e realizando alguma coisa. Eu não sabia relaxar e desfrutar nada.

Se tivesse trabalho para fazer, eu nunca conseguia parar até terminar. Ainda não havia aprendido que, na verdade, o trabalho nunca está terminado. Existe sempre alguma coisa que precisa ser feita. Agora aprendi a trabalhar até à hora de parar e depois deixar o que quer que eu esteja fazendo para o dia seguinte.

Se você e eu não fizermos isso, ficaremos abertos a um esgotamento. E quando ficamos esgotados, é muito difícil nos recuperarmos.

Ser impedida de brincar roubará a infância de uma pessoa e sua possibilidade de desfrutar a vida adulta.

Por algum motivo, nas raras ocasiões em minha infância em que eu brincava, era levada a me sentir culpada. Eu tinha sempre a sensação de que não devia estar fazendo aquilo, de que deveria estar trabalhando duro. Esse sentimento me prejudicou. Levei anos para chegar ao ponto de não me sentir culpada por estar me divertindo.

Certa noite, há alguns anos, meu filho me pediu para parar de trabalhar e me sentar para assistir a um filme com ele na televisão. Eu queria fazer isso. Queria fazer pipoca, abrir umas latas de refrigerante e me sentar para apreciar um filme com meu filho. Mas eu tinha um sentimento de culpa tão perturbador que não conseguia desfrutar daquilo.

Finalmente, disse a mim mesma: "Qual é o meu problema? Não há nada de errado com o que estou fazendo. Preciso passar tempo com meus filhos assim. O filme é inocente, a pipoca é light, e o refrigerante é diet. Por que estou me sentindo tão culpada?".

O Senhor me disse: "Joyce, hoje você não fez tudo que achava que deveria fazer. E hoje você não fez tudo do jeito que você acha que deveria fazer. Por isso, você acha que não merece se divertir".

Meu problema era achar que eu tinha de merecer cada dose de alegria, de diversão ou de benção que cruzasse meu caminho. Eu precisava aprender sobre o dom gratuito de Deus: Sua graça e Seu favor.

As boas coisas que nos acontecem nesta vida nos são dadas pelo Senhor (Ver Tiago 1:17). Ele quer nos dar essas coisas. Ele quer que desfrutemos a vida ao máximo, mesmo quando não merecemos totalmente.

Precisamos ser libertos do nosso complexo de culpa, de pensarmos que temos de merecer os presentes de Deus que nos são dados. Achamos que temos de conquistar tudo, mas Deus quer que saibamos que só temos de recebê-los e desfrutá-los com ações de graças e gratidão.

Se não estamos desfrutando a vida como deveríamos, o motivo é porque o diabo está tentando roubar nossa alegria. Uma maneira pela qual ele faz isso é destruindo a criança em cada um de nós.

SATANÁS PRETENDE DESTRUIR A CRIANÇA

> Sua cauda arrastou consigo um terço das estrelas do céu, lançando-as na terra. O dragão colocou-se diante da mulher que estava para dar à luz, para devorar o seu filho no momento em que nascesse. Ela deu à luz um filho, um homem, que governará todas as nações com cetro de ferro. Seu filho foi arrebatado para

> junto de Deus e de seu trono. A mulher fugiu para o deserto, para um lugar que lhe havia sido preparado por Deus, para que ali a sustentassem durante mil duzentos e sessenta dias.
>
> APOCALIPSE 12:4-6

Quando comecei a fazer um estudo bíblico sobre este assunto, vi que Satanás está sempre pretendendo destruir a criança. E Deus está sempre tentando proteger a criança.

Esse princípio se aplica não apenas aos filhos atuais e ao Cristo prometido, mas também à criança interior em cada um de nós. Se não tivermos uma criança saudável dentro de nós, não podemos brincar e desfrutar a vida como Deus deseja.

Meu marido é um homem maravilhoso, um varão valoroso. No entanto, ele tem uma criança grande dentro dele. Ele sempre consegue se divertir e desfrutar tudo o que faz. Eu costumava querer ser assim. Mas não estava disposta a afrouxar a corda, a me soltar e me divertir.

Dave sempre foi bom o bastante para ir comigo ao supermercado. Costumávamos ir a cada duas semanas mais ou menos, e como tínhamos certa quantia limitada de dinheiro para gastar, eu tinha de fazer compras com muita sabedoria e cuidado.

Ali estava eu com minha lista de compras, minhas notas, a calculadora, meus três filhos, e meu marido, levando muito a sério minha intenção de obter as melhores ofertas em tudo. A verdade é que, naquela época de minha vida, eu era bastante intensa em tudo. Mas enquanto eu era muito intensa, muito "adulta" na minha atitude e comportamento, Dave era exatamente o contrário. Ele tinha todas as características de uma criança. Ele conseguia se divertir até no supermercado!

CARACTERÍSTICAS DE UMA CRIANÇA

> ... e uma criança os guiará.
>
> ISAÍAS 11:6

Quando estudava este material, fiz duas ou três páginas de anotações sobre as características de uma criança. Uma delas é que uma criança se diverte em tudo o que faz.

Independentemente do que uma criança faça, ela pode dar um jeito de encontrar uma maneira de se divertir. Ela pode ser castigada e colocada de pé em um canto, e logo estará fazendo uma brincadeira com isso, fazendo alguma coisa como contar as flores do papel de parede.

Quando meu filho era mais novo, pedi a ele para varrer o quintal. Então ele pegou uma vassoura e saiu. Como na verdade não queria fazer esse trabalho, ele resmungou um pouco. Mas alguns minutos depois, olhei para fora e o vi dançando com a vassoura. Ele estava varrendo, mas estava se divertindo enquanto fazia isso.

É aí que você e eu falhamos como adultos. Nós temos todo tipo de coisas mundanas para fazer, coisas que detestamos e odiamos e simplesmente queremos terminar logo, mas não nos permitimos desfrutá-las.

Incluídas nesta lista estão deveres religiosos, coisas que achamos que devemos fazer para ser bons cristãos. Se as encararmos como obrigações, elas se tornam tarefas em vez de privilégios.

Deus quer que aprendamos a desfrutar essas coisas e a desfrutarmos a presença Dele. Ele quer que desfrutemos a oração, o estudo bíblico, e ir à igreja, assim como Ele quer que desfrutemos nosso cônjuge, nossos filhos, nossa família, nossa casa, e tudo o mais na vida. Ele quer que desfrutemos limpar a casa, lavar o carro, cortar a grama, e todas essas outras coisas que fazemos enquanto pensamos com nós mesmos: "Puxa, vou ficar feliz quando isto terminar e eu puder fazer alguma coisa divertida".

Durante muito tempo nós adiamos a possibilidade de desfrutar a vida. Deus quer que desfrutemos tudo — até ir ao supermercado.

DIVERTINDO-SE

> Descobri que não há nada melhor para o homem do que ser feliz e praticar o bem enquanto vive. Descobri também que poder comer, beber e ser recompensado pelo seu trabalho, é um presente de Deus.
>
> Eclesiastes 3:12-13

Então Dave ia ao supermercado comigo para se divertir. Ele corria atrás das crianças para cima e para baixo pelas fileiras com o carrinho de compras. Como estava tão preocupada com a aparência e a reputação, eu tentava fazê-lo parar.

"Você quer parar de dar vexame?", eu dizia. "Todo mundo está olhando para nós!"

Então ele respondia: "Se você não ficar quieta, vou correr atrás de você com o carrinho". Então ele começava a vir atrás de mim, e eu ficava realmente irritada. Mas mesmo assim, ele não permitia que eu o deixasse zangado. Em vez disso, ele pensava em alguma outra maneira de se divertir e de divertir as crianças.

Como ele tem 1,94 de altura, pode ver por cima das fileiras, e eu não. Ele me via na fileira ao lado — toda tensa com as minhas notas, com a calculadora e com o carrinho — e jogava alguma coisa por cima da prateleira para dentro do carrinho.

Uma vez, fiquei tão irritada com ele que gritei: "Você quer parar com isso? Você está me deixando louca!".

"Ah, por Deus, Joyce!" disse ele. "Estou apenas tentando me divertir um pouco".

"Bem, eu não vim aqui para me divertir", respondia sinceramente. "Eu vim para fazer compras. Quero tirá-las da prateleira, colocá-las no carrinho, levá-las até o caixa, carregá-las até o carro, levá-las para casa, e colocá-las no armário".

Eu tinha o meu plano todo esquematizado. Mas nesse plano, não havia incluído nenhuma diversão.

VIVA UM POUCO

> O coração bem disposto é remédio eficiente, mas o espírito oprimido resseca os ossos.
>
> PROVÉRBIOS 17:22

Não seria maravilhoso se todos nós conseguíssemos viver um pouco enquanto passamos por esta vida fazendo todas as coisas que achamos que devemos fazer?

Pelo fato de que a minha infância me havia sido roubada, nunca aprendi a ser como uma criança. Jamais aprendi a "relaxar" e viver um pouco. E estava sempre irritada com alguma coisa.

Mas Dave era o tipo de pessoa que desfrutava a vida independentemente do que estivesse se passando ao redor dele. Embora eu talvez nunca tenha a capacidade de ser como ele por causa das diferenças de personalidades que temos, aprendi que posso ser muito mais feliz e mais despreocupada do que eu era.

Como ministra do Evangelho, tenho uma enorme responsabilidade. Tenho de trabalhar duro naquilo que fui chamada para fazer, e amo isso. Eu realmente aprecio o meu trabalho. Mas se não tomar cuidado, posso ficar estressada e esgotada. É por isso que preciso fazer um esforço para aplicar versículos como Provérbios 17:22 e desenvolver um coração feliz e uma mente alegre.

Se você e eu não estivermos equilibrados emocionalmente, toda a nossa vida será afetada. Realmente acredito que se não aprendermos a rir mais, vamos nos meter em problemas sérios. Porque, como a Bíblia ensina, o riso é como remédio. Muitos artigos foram escritos nos últimos anos afirmando que a medicina agora confirma que o riso pode ser um instrumento para trazer cura ao corpo. O riso é como a caminhada interna — é de muitas maneiras tão bom quanto o exercício físico.

Todos nós precisamos rir mais. Mas às vezes temos de fazer isso deliberadamente. Vimos como as crianças desfrutam a vida, como elas fazem de tudo uma brincadeira. Outra coisa que elas fazem é rir o tempo todo. Tenho visto isso nos meus netos. Enquanto eles correm e brincam pela casa, tudo que fazem é entrecortado por risos.

Ora, entendo que como adultos não devemos passar pela vida rindo como crianças. Se fizéssemos isso, poderíamos ser despedidos do nosso emprego ou, pior ainda, poderíamos ser mandados para um hospício para fazer exames.

O ponto que estou tentando provar é que se formos sérios demais, poderemos causar danos a nós mesmos e àqueles com quem entramos em contato. Precisamos de um equilíbrio entre a diversão e a responsabilidade.

Eu era tão séria que achava que não podia ou não devia ter nada a ver com qualquer coisa que considerasse frívola. Era muito difícil me fazer rir de alguma coisa. Mas para uma criança, não é preciso muita coisa para rir. Para ela, tudo é divertido.

Precisamos encontrar mais humor nas nossas vidas diárias. E uma das primeiras coisas que precisamos aprender a fazer é rir de nós mesmos. Em vez de ficarmos angustiados com os nossos erros e imperfeições humanas, precisamos aprender a rir dos nossos fracassos e debilidades.

Não existe nada mais engraçado do que os seres humanos. Como Art Linkletter costumava dizer nos seus antigos programas de rádio e TV, "As pessoas são engraçadas!". E isso inclui a nós. Precisamos reconhecer esse fato e ficar mais sintonizados com a criança brincalhona dentro de cada um de nós.

DEUS NOS DEU UM MENINO

> Quando tornaram a ver a estrela, encheram-se de júbilo. Ao entrarem na casa, viram o menino com Maria, sua mãe, e, prostrando-se, o adoraram. Então abriram os seus tesouros e lhe deram presentes: ouro, incenso e mirra. E, tendo sido advertidos em sonho para não voltarem a Herodes, retornaram a sua terra por outro caminho. Depois que partiram, um anjo do Senhor apareceu a José em sonho e disse-lhe: "Levante-se, tome o menino e sua mãe, e fuja para o Egito. Fique lá até que eu lhe diga, pois Herodes vai procurar o menino para matá-lo".
>
> MATEUS 2:10-13

Reconhecemos esta passagem como parte da história do Natal. O menino mencionado aqui é o Menino Jesus, e aqueles que se prostraram e o adoraram, apresentando seus presentes de ouro, incenso e mirra são, naturalmente, os sábios.

Estou relembrando essa história porque quero enfatizar o ponto de que quando Deus olhou do céu e viu o nosso estado de perdição, a resposta Dele foi nos enviar um Menino, como lemos em Isaías 9:6: "Porque um menino nos nasceu, um filho nos foi dado, e o governo está sobre os seus ombros. E ele será chamado Maravilhoso Conselheiro, Deus Poderoso, Pai Eterno, Príncipe da Paz".

O Pai enviou um Menino para nos libertar, e imediatamente o Rei Herodes mandou destruí-lo. Do mesmo modo, Deus deu a cada um de nós uma criança interior e o inimigo pretende destruir essa criança dentro de nós.

O diabo está atrás da nossa semelhança com as crianças. Ele não quer que sejamos livres como as criancinhas.

AS CRIANÇAS SÃO LIVRES

Analisamos algumas das características de uma criança. Uma das mais importantes é o fato de que as crianças são livres. Elas não estão preocupadas com o que as pessoas pensam.

Há algum tempo, fiquei observando duas crianças pequenas durante um culto na igreja. O garotinho havia levado seu microfone de brinquedo com ele. Ele estava muito bem arrumado com seu terninho de domingo e durante a parte do culto do louvor e da adoração, ficava cantando com aquele microfone de brinquedo, segurando-o e se virando para lá e para cá exatamente como se estivesse se apresentando diante de uma enorme plateia.

A mãe da garotinha obviamente havia permitido que ela fosse para a igreja diretamente depois da aula de dança, porque ela ainda estava com a sua roupa de balé. Enquanto o garotinho cantava entusiasmado com seu microfone, ela dançava como uma bailarina.

Eles estavam se divertindo completamente, e não se importavam com o que ninguém achava disso. Eles ainda não tinham idade suficiente para se submeterem ao cativeiro do: "O que as pessoas vão pensar?".

Às vezes é preciso um grande passo de fé para vencermos as nossas inibições e darmos livre expressão às nossas emoções acumuladas, independentemente da opinião dos outros. É aí que precisamos demonstrar e desfrutar a liberdade de uma criança.

EVITANDO O FARISAÍSMO

> Então a nossa boca encheu-se de riso, e a nossa língua de cantos de alegria. Até nas outras nações se dizia: "O Senhor fez coisas grandiosas por este povo". Sim, coisas grandiosas fez o Senhor por nós, por isso estamos alegres.
>
> SALMO 126:2-3

Eu estava assistindo a um programa de entrevistas cristão na televisão onde os participantes estavam falando sobre o avivamento do riso que está varrendo a terra.

Alguém perguntou ao apresentador do programa se ele achava que aquilo era de Deus.

"Isto escandaliza sua mente?", perguntou o apresentador.

"Sim, escandaliza", respondeu a pessoa que havia feito a pergunta.

"Bem, nesse caso", respondeu o apresentador, "provavelmente é de Deus".

Não sei se você já percebeu ou não, mas Jesus andou por toda parte escandalizando as pessoas o tempo todo. Às vezes parece que Ele fazia isso de propósito.

Em Mateus 15:12 lemos: "Então, acercando-se dele os seus discípulos, disseram-lhe: Sabes que os fariseus, ouvindo essas palavras, se escandalizaram?" (ACRF). A resposta de Jesus a eles foi: "Deixai-os; são condutores cegos. Ora, se um cego guiar outro cego, ambos cairão na cova" (v. 14, ACRF). Jesus sabia exatamente como alcançar aqueles fariseus cheios de justiça própria.

Precisamos estar de guarda contra o farisaísmo. Se a verdade fosse conhecida, veríamos que a igreja de hoje está cheia de fariseus. Eu fui um deles.

Na verdade, eu era a chefe dos fariseus. Eu era rígida, legalista, monótona, me ocupava em impressionar os outros, não tinha humor, era crítica, julgadora, e daí por diante. Eu estava a caminho do céu, mas não estava aproveitando a viagem.

Você e eu precisamos sair das nossas camisas de força. Jesus não foi enviado a este mundo para nos amarrar, mas para nos libertar. Precisamos ser livres para expressar as nossas ações de graças e o nosso louvor a Ele por todas as grandes coisas que Ele fez, está fazendo, e vai fazer por nós.

Ora, não quero dizer com isso que devemos passar pela vida tentando ver o quanto podemos ser ridículos desde a manhã até à noite. Não estou falando de esquisitices ou fanatismo, estou falando de liberdade e alegria. Estou falando de ser liberto das cadeias da religião farisaica para podermos seguir livremente a direção do Espírito Santo.

PROTEJA E PRESERVE A CRIANÇA DENTRO DE VOCÊ

> Então ele se levantou, tomou o menino e sua mãe durante a noite, e partiu para o Egito, onde ficou até a morte de Herodes. E assim se cumpriu o que o Senhor tinha dito pelo profeta: "Do Egito chamei o meu filho". Quando Herodes percebeu que havia sido enganado pelos magos, ficou furioso e ordenou que matassem todos os meninos de dois anos para baixo, em Belém e nas proximidades, de acordo com a informação que havia obtido dos magos.
>
> MATEUS 2:14-16

Mais uma vez, vemos ilustrado nesta história como o diabo está em busca da criança em cada um de nós para destruí-la.

É por isso que precisamos estar vigilantes para não permitirmos que ele destrua essa criança interior que o Senhor colocou dentro de nós para impedir que cedamos e sejamos controlados pela nossa natureza farisaica.

TORNANDO-SE, RECEBENDO, ACEITANDO E DANDO AS BOAS VINDAS A UMA CRIANCINHA

> Portanto, quem se faz humilde como esta criança, este é o maior no Reino dos céus. Quem recebe uma destas crianças em meu nome, está me recebendo.
>
> MATEUS 18:4-5

Você e eu precisamos nos humilhar e nos tornarmos como criancinhas. Também precisamos aprender a receber, aceitar e dar boas-vindas à criança dentro de nós. Mas alguns de nós temos dificuldades em fazer isso porque estamos nos esforçando tanto para nos tornarmos espiritualmente maduros.

Em uma parte da Bíblia, nos é dito para crescermos em Cristo (Efésios 4:15), e aqui nos é dito por Jesus para nos tornarmos como uma criancinha. A verdade é que devemos fazer as duas coisas.

O Senhor quer que cresçamos na nossa atitude, comportamento e aceitação da responsabilidade. Ao mesmo tempo, Ele quer que sejamos como crianças na nossa dependência Dele e na livre expressão dos nossos sentimentos para com Ele.

Um bom exemplo encontra-se em Mateus 19:14, onde lemos o que aconteceu quando os discípulos de Jesus tentaram impedir as crianças de irem até Ele: "Então disse Jesus: 'Deixem vir a mim as crianças e não as impeçam; pois o Reino dos céus pertence aos que são semelhantes a elas'".

"Deixem as crianças em paz!". Essa não é uma frase maravilhosa? Assim como Jesus recebia, aceitava e dava as boas vindas às criancinhas que iam até Ele, do mesmo modo devemos receber, aceitar e dar boas-vindas à criancinha que Deus colocou dentro de cada um de nós.

As crianças precisam se sentir seguras e cuidadas. Elas precisam poder expressar os seus sentimentos e emoções completa e livremente. E nós também.

DESOBSTRUA OS POÇOS!

> Jesus afirmou-lhe: "Quem beber desta água terá sede outra vez; aquele, porém, que beber da água que Eu lhe der, nunca mais terá sede. Ao contrário, a água que Eu lhe der tornar-se-á nele uma fonte de água jorrando para a vida eterna".
>
> JOÃO 4:13-14, KJV

Em Sua conversa com a mulher junto ao poço, Jesus disse que aqueles que acreditam Nele terão dentro de si um poço de águas jorrando continuamente. Mas se esse poço ficar entupido, temos um problema. Como a água dentro de nós não pode fluir, ela fica estagnada.

Se sua vida está malcheirosa e poluída, pode ser porque seu poço de águas vivas está cheio de pedras colocadas pelo inimigo, como nos dias do Antigo Testamento.

Em 2 Reis 3:19 o Senhor disse aos israelitas que estavam sendo atacados pelos moabitas: "Vocês destruirão todas as cidades fortificadas e todas as cidades importantes. Derrubarão toda árvore frutífera, taparão todas as fontes e encherão de pedras todas as terras de cultivo".

Naquele tempo, entupir poços com pedras era uma das armas usadas para derrotar os inimigos de alguém. Nosso inimigo, o diabo, ainda usa essa arma contra nós hoje.

Creio que você e eu nascemos com um poço limpo e bom fluindo dentro de nós. Quando crianças, ainda temos esse poço fluindo livremente. Mas com o tempo, nosso inimigo, Satanás, vem e começa a atirar pedras nesse poço: pedras de abuso, mágoa, rejeição, ressentimento, autopiedade, vingança, depressão, desespero, e daí por diante. Quando nos tornamos adultos, nossos poços estão tão cheios de pedras que ficaram entupidos e não fluem mais livremente dentro de nós.

De vez em quando podemos sentir um pequeno borbulhar lá no fundo. Mas parece que nunca experimentamos a liberação plena que é necessária para que os nossos poços de água fluam livremente mais uma vez.

É interessante que quando Jesus foi ressuscitar seu amigo Lázaro dos mortos, Ele ordenou: Retirai a pedra (João 11:39). Acredito que o Espírito Santo quer retirar as pedras que têm entupido os nossos poços de águas vivas.

A ÁGUA VIVA

> No último e mais importante dia da festa, Jesus levantou-se e disse em alta voz: "Se alguém tem sede, venha a mim e beba. Quem crer em mim, como diz a Escritura, do seu interior fluirão rios de água viva". Ele estava se referindo ao Espírito, que mais tarde receberiam os que nele cressem. Até então o Espírito ainda não tinha sido dado, pois Jesus ainda não fora glorificado.
>
> João 7:37-39

Observe que nesta passagem Jesus não disse que daqueles que acreditam Nele fluirão rios de águas vivas *de vez em quando.* Ele disse que esses rios de águas vivas fluirão, ou seja, *continuamente.*

Essa água viva é o Espírito Santo. O que Jesus estava falando aqui era sobre o derramamento do Espírito Santo, que nós (que aceitamos Jesus como Senhor e Salvador) recebemos — a Pessoa e o poder do Espírito Santo em nós.

O rio de águas vivas flui dentro de você e de mim. Ele não deve ser obstruído, mas deve borbulhar dentro de nós e fluir para fora de nós. E podemos liberar o poder dessas águas vivas em uma medida ainda maior recebendo a plenitude do Espírito Santo. O que temos de aprender a fazer é seguir o fluxo.

SIGA O FLUXO

"Seguir o fluxo" tem um duplo significado para mim por causa de um incidente que descrevo em maiores detalhes em outro de meus livros.[1]

Quando meus filhos eram pequenos, várias vezes por semana, ao que parecia, um deles derramava um copo de leite na mesa de jantar. Todas as vezes eu imediatamente tinha uma crise de raiva e começava a limpar a sujeira porque o leite escorria pela mesa, descia pela fenda da mesa onde havia uma extensão, e escorria pelas pernas da mesa.

Um dia, enquanto estava debaixo da mesa durante o jantar, de quatro, tendo um ataque de raiva enquanto limpava a bagunça, o Espírito Santo ministrou a mim que todos os ataques do mundo não fariam com que o leite voltasse a subir pelas pernas da mesa e voltasse para o copo. Como meus filhos eram pequenos, eles iam derrubar coisas. O Espírito Santo me ensinou a simplesmente seguir o fluxo.

Com essa experiência, aprendi a rir de coisas que costumavam me irritar. Quando as coisas dão errado em nossas vidas, Dave e eu aprendemos a dizer: "Não estou impressionado, Satanás, você não está me impressionando em nada".

Descobri que se não permitirmos que o diabo nos impressione, ele não pode nos oprimir.

Veja outro caso onde temos de aprender a usar a arma do riso contra o inimigo.

O RISO DA FÉ

> Os ímpios tramam contra os justos e rosnam contra eles; o Senhor, porém, ri dos ímpios, pois sabe que o dia deles está chegando.
>
> SALMO 37:12-13

A Bíblia ensina que o Senhor está sentado no céu e ri dos Seus inimigos porque Ele sabe que o dia da derrota deles está chegando.

É isso que chamo de "o riso da fé".

Você se lembra da reação de Abraão em Gênesis 17:17 quando Deus lhe disse que sua mulher Sara teria um filho em sua velhice e se tornaria mãe de nações?

Ele riu.

Então, em Gênesis 18:10-12, quando Sara ouviu o Senhor repetir essa promessa a Abraão, ela também riu.

Então, quando o filho da promessa nasceu, Abraão e Sara fizeram como o Senhor ordenara e lhe deram o nome de Isaque, quer significa "riso" (Gênesis 17:19).

Você sabe o que acredito que isso nos diz? Acredito que diz que se esperarmos nas promessas de Deus e aprendermos a ser herdeiros em vez de trabalhadores, acabaremos rindo. Daremos à luz *Isaques* e não *Ismaéis*.

O RISO DESOBSTRUI OS POÇOS

> Isaque reabriu os poços cavados no tempo de seu pai Abraão, os quais os filisteus fecharam depois que Abraão morreu...
>
> GÊNESIS 26:18

Uma das coisas que Isaque fez quando ele estava crescendo foi desobstruir os poços de seu pai Abraão, que os inimigos haviam entupido. Podemos entender que isso significa que o riso e a alegria do Espírito Santo desobstruirão os nossos poços.

Você e eu não temos de elaborar o assunto ou filosofar muito sobre ele. Só precisamos ser como criancinhas.

Independentemente da nossa idade, se quisermos entrar no Reino de Deus, precisamos ser como criancinhas, assim como Jesus falou em Lucas 18:17.

O Reino de Deus está disponível a nós no instante do novo nascimento. Mas para entrar nele e desfrutá-lo ao máximo, aqui e agora, precisamos ser como criancinhas.

É interessante notar quantas vezes os escritores do Novo Testamento se referiram aos seguidores de Jesus como "filhinhos".

Por exemplo, em 1 João 4:4, lemos: "Filhinhos, vocês são de Deus e os venceram, porque aquele que está em vocês é maior do que aquele que está no mundo".

Enquanto medito neste versículo e em outros como ele, me parece que o Senhor está bastante decidido a nos ensinar a desenvolver e manter uma mentalidade de criança. Em outras palavras, Ele quer que sintamos e ajamos como Seus filhinhos. Ele quer que tenhamos uma dependência infantil Dele, acreditando que, como qualquer bom pai, Ele cuidará de nós, tomará conta de nós, e suprirá as nossas necessidades. Ele quer que acreditemos que podemos relaxar e ser livres Nele.

Se você perdeu a criança que existia dentro de você, então esta é a hora de ter essa criança de volta.

AS CRIANÇAS SÃO SIMPLES E DESCOMPLICADAS

> O próprio Espírito testemunha ao nosso espírito que somos filhos de Deus.
>
> Romanos 8:16

Novamente, aqui, nos é dito que somos crianças, os filhos de Deus. Se é assim, precisamos saber como são as crianças para sabermos como devemos nos comportar e viver nossa vida diária. É por isso que neste capítulo estamos vendo como são as crianças.

A última característica das crianças que precisamos analisar é a sua simplicidade.

As crianças, por natureza, são simples e descomplicadas. Elas também são inquisitivas de uma maneira saudável, mas não ficam racionalizando porque isso gera muita confusão. Elas fazem muitas perguntas, mas não se aprofundam mental e filosoficamente.

Como vimos, João 10:10 nos diz que Jesus falou que veio para que tivéssemos vida e a tivéssemos em abundância. Ele também disse que o diabo só vem para matar, roubar e destruir. Uma das coisas às quais Ele estava se referindo era ao sistema religioso daquela época que mantinha as pessoas cativas porque não era cheio de vida, alegria e liberdade, mas sim de regras, regulamentos e razões.

Em João 9, quando Jesus e Seus discípulos viram um homem que havia nascido cego, eles quiseram saber quem havia pecado para que ele nascesse cego: o homem, ele próprio, ou seus pais (vv. 1, 2). Fazer esse tipo de pergunta é típico de nós. É assim que somos — sempre tentamos entender tudo nas nossas vidas e nas vidas dos que nos cercam. Queremos uma resposta para tudo.

Então, quando Jesus ungiu os olhos do homem, mandou-o lavar-se no Tanque de Siloé, e o homem voltou vendo, os fariseus o chamaram e o interrogaram. Eles queriam saber quem o havia curado e como havia feito aquilo (vv. 6-34).

As manifestações e demonstrações espirituais são coisas que nós humanos não podemos entender. Não temos de saber como Jesus cura para sermos curados ou para sermos instrumentos da Sua cura para outros. Podemos ser como o homem que foi curado da cegueira por Jesus. Podemos dizer, com uma simplicidade e confiança de criança: "Eu não sei como Ele fez isto; tudo que sei é que eu era cego e agora vejo" (v.25).

Queremos sempre ser tão teologicamente profundos sobre tudo! Mas quando começamos a tentar explicar Deus, nos envolvemos em todo tipo de problema. As crianças não tentam explicar ou entender tudo. Elas apenas aceitam as coisas como são e as desfrutam. Elas não são indecisas. Decidem o que querem e correm atrás disso sem se incomodarem com o que os outros pensam ou dizem.

As crianças são perseverantes. Elas se prendem aos seus sonhos e objetivos por mais tempo que os adultos porque sabem o que querem e não têm medo de correr atrás dessas coisas. O resultado é que elas não desanimam nem ficam deprimidas como os adultos.

As crianças não têm medo das emoções nem de demonstrá-las. O que elas sentem por dentro está escrito em seu rosto. Se elas estão felizes, entusiasmadas ou empolgadas, é fácil ver isso.

Podemos deixar que as crianças sejam um exemplo para nós. Se estivermos felizes no Senhor, podemos e devemos demonstrar isso ao mundo inteiro como um testemunho para Ele.

Torne-se como uma criancinha. Pare de se preocupar, de se afligir, e de ficar frustrado e angustiado tentando entender e racionalizar tudo. Aprenda a relaxar e a ficar calmo.

Tome a decisão de desfrutar o resto da sua vida. Não importa qual seja a situação ou as circunstâncias, independentemente das suas experiências passadas ou dos seus planos para o futuro, decida-se a encontrar uma maneira de colocar um pouco de riso e de diversão na sua vida.

Se você quer ser emocionalmente saudável, encontre e restaure a criança perdida dentro de você.

CONCLUSÃO

Neste livro, vimos como administrar nossas emoções para podermos desfrutá-las e usá-las da maneira que Deus planejou. Deus nos deu emoções para desfrutarmos a vida abundante que Ele quer nos dar e para nos movermos em compaixão para ministrar a outros para Ele.

Até que aprendamos a administrá-las, nossas emoções podem ser nosso maior inimigo, porque Satanás vai tentar usá-las para nos impedir de andar no Espírito.

Não importa o que aconteceu com você no passado, Deus pode curá-lo para que você possa ver o mundo através dos Seus olhos e desfrutar o que Ele lhe deu e está lhe dando. As recompensas por administrar suas emoções são grandes — aplique o que você leu neste livro e aprenda a desfrutar tudo que você faz.

NOTAS

Capítulo 1

1. *Webster's Ninth New Collegiate Dictionary* (Springfield, MA: Merriam-Webster, 1990), s.v. "emoção".
2. *Webster's II New College Dictionary* (Boston/New York: Houghton Mifflin Company, 1995), s.v. "emoção".
3. Webster's II, s.v. "emocionalismo".
4. Webster's II, s.v. "emocionalista".
5. Webster's II, s.v. "sem emoção".
6. Baseado nas definições de James Strong, "Hebrew and Chaldee Dictionary" em *Strong's Exaustive Concordance of the Bible* (Nashville: Abingdon, 1890), p.10, lançamento # 974, s.v. "testa" — Sl 7:9 — "testar (principalmente materiais)"; Webster's II, s.v. "testar" — "derreter... separar as impurezas..."; e William Wilson, *Wilson's Old Testament Word Studies* (Peabody: Hendrickson Publishers, n.d.), s.v. "TESTAR, TESTE" — "... provar, principalmente metais, muitas vezes de Deus, como provando os corações e as mentes dos homens..." Outro significado é "derreter, fundir metais: principalmente de ouro ou prata, purificar com fogo...".
7. Watchman Nee, O Homem Espiritual (New York: Christian Fellowship Publishers, Inc., 1968), pp. 190, 191.

Capítulo 2

1. Baseado na definição de W.E. Vine, Merrill F. Unger, William White Jr., Vine's Complete Expository Dictionary of Old and New Testament Words (Nashville: Thomas Nelson, Inc., 1984), "New Testament Section", p. 401, s.v. "MANSO, MANSIDÃO", b. Nouns, No. 1 — "... Deve ficar entendido claramente, portanto, que a mansidão manifestada pelo Senhor e recomendada ao crente é o fruto do poder..."
2. Webster's New World College Dictionary, 3ª. Ed. (New York MacMillan, 1996), s.v. "recompensa".

Capítulo 3

1. Webster's Minth, s.v. "mantra".
2. Citação bibliográfica, Nurse Practitioner (Maio 1994), 19(5): pp. 47, 50-56: "Tem se estimado que até 75% de todas as visitas aos que oferecem serviços de assistência médica às famílias e comunidades envolvem a apresentação de problemas psicossociais por meio de reclamações de ordem física".

Capítulo 4

1. Com base na definição do Webster's II, s.v. "amargo": "tem ou é um sabor picante, ácido e desagradável".

2. Webster's II, s.v. "perdoar".
3. Webster's II, s.v. "perdoar".
4. Strong, "Greek Dictionary", pg. 33, lançamento #2127, s.v. "abençoar", Rm 12:14.

Capítulo 5

1. Strong, "Greek Dictionary", p. 77, lançamento #5479, s.v. "alegria". João 15:11.

Capítulo 6

1. Webster's II, s.v. "desespero".
2. Webster's II, s.v. sofrimento".
3. Strong "Greek dictionary", pg 55, lançamento #3875, s.v. "Consolador". João 14:16.
4. W.E. Vine, "New Testament Section", pgs 110, 111, s.v. "CONSOLADOR, SEM CONSOLO". A. Nouns No. 5, *parakletos.*
5. Webster's II, s.v. "deprimir".
6. Webster's II, s.v. "deprimir".
7. Webster's II, s.v. "depressão".
8. Webster's II, s.v. "depressão".
9. Webster's II, s.v. "depressão".

Capítulo 7

1. Webster's II, s.v. "restaurar".
2. Wilson, pg. 353.
3. Strong, "Hebrew and Chaldee Dictionary", pg 113, lançamento #7725, s.v. "restaura", Sl 23:3.
4. Webster's II, s.v. "abusar".

Capítulo 8

1. Vine, "New Testament Section", pg. 430, 431, s.v. "NOVO", 2 Cor 5:17.
2. Dr. Robert Hemfelt, Dr. Franklin Minirth, Dr. Paul Meier, *Love is a Choice* (Nashville: Thomas Nelson, 1989), pg 34, 35.
3. Strong, "Greek Dictionary", pg 60, lançamento #4239, s.v. "humildes", Mt 5:5.
4. Strong, "Greek Dictionary", lançamento #4240.
5. Vine, "New Testament Section", pg 401, s.v. "HUMILDE, HUMILDADE", a. A. Adjective, *praus.* B. Nouns No. 1, *prautes.*
6. Strong, "Hebrew and Chaldee Dictionary", pg 56, lançamento #3637, s.v. "envergonhado".
7. Webster's II, s.v. "confundir".
8. Webster's II, s.v. "amaldiçoar".

Capítulo 9

1. Baseado na definição em Wbester's ninth, s.v. "obsessão".
2. *Random House Unabridged Dictionary*, 2ª. Edição (New York: Random House, 1993), s.v. "codependência".

Capítulo 10

1. *Me and My Big Mouth* (Eu e Minha Boca Grande) (Tulsa: Harrison House, 1997), pgs. 174-77.

BIBLIOGRAFIA

Hemfelt, Dr. Robert; Minirth, Dr. Frank; Meier, Dr. Paul. *Love is a Choice* (Nashville: Thomas Nelson, 1989).

Nee, Watchmann, *O Homem Espiritual.* New York: Christian Fellowship Publishers, Inc., 1968.

Random House Unabridged Dictionary, 2a. ed. New York Random House, 1993.

Strong, James. *Strong's Exaustive Concordance of the Bible.* Nashville: Abingdon Press, 1890.

Vine. W.E.; Unger, Merrill F.; White Jr., William. *Vine's Complete Expository Dictionary of Old and New Testament Words*. Nashville, Thomas Nelson, Inc., 1984.

Webster's Ninth New College Dictionary. Springfield, MA: Merriam-Webster, 1990.

Webster's II New College Dictionary. Boston: Houghton Mifflin Company, 1995.

Webster's New World College Dictionary. 3a. ed. New York: MacMillan, 1996.

Wilson, William. *Wilson's Old Testament Word Studies.* Peabody: Hendrickson Publishers. N.d.

Sobre a Autora

Joyce Meyer é uma das líderes no ensino prático da Bíblia no mundo. Renomada autora de best-sellers pelo *New York Times*, seus livros ajudaram milhões de pessoas a encontrarem esperança e restauração através de Jesus Cristo.

Através dos *Ministérios Joyce Meyer*, ela ensina sobre centenas de assuntos, é autora de mais de 80 livros e realiza aproximadamente quinze conferências por ano. Até hoje, mais de doze milhões de seus livros foram distribuídos mundialmente, e em 2007 mais de três milhões de cópias foram vendidas. Joyce também tem um programa de TV e de rádio, *Desfrutando a Vida Diária®*, o qual é transmitido mundialmente para uma audiência potencial de três bilhões de pessoas. Acesse seus programas a qualquer hora no site www.joycemeyer.com.br

Após ter sofrido abuso sexual quando criança e a dor de um primeiro casamento emocionalmente abusivo, Joyce descobriu a liberdade de viver vitoriosamente aplicando a Palavra de Deus à sua vida, e deseja ajudar outras pessoas a fazerem o mesmo. Desde sua batalha contra um câncer no seio até as lutas da vida diária, Joyce Meyer fala de forma aberta e prática sobre sua experiência, para que outros possam aplicar o que ela aprendeu às suas vidas.

Ao longo dos anos, Deus tem dado a Joyce muitas oportunidades de compartilhar seu testemunho e a mensagem de mudança de vida do Evangelho. De fato, a revista *Time* a selecionou como uma das mais influentes líderes evangélicas dos Estados Unidos. Sua vida é um incrível testemunho do dinâmico e restaurador trabalho de Jesus Cristo. Ela crê e ensina que, independente do passado da pessoa ou dos erros cometidos, Deus tem um lugar para ela, e pode ajudá-la em seus caminhos para desfrutar a vida diária.

Joyce tem um merecido PhD em teologia pela Universidade Life Christian em Tampa, Flórida; um honorário doutorado em divindade pela Universidade Oral Roberts em Tulsa, Oklahoma; e um honorário doutorado em teologia sacra pela Universidade Grand Canyon em Phoenix, Arizona. Joyce e seu marido, Dave, são casados há mais de quarenta anos e são pais de quatro filhos adultos. Dave e Joyce Meyer vivem atualmente em St. Louis, Missouri.